Cocina exprés

Cocina exprés

• MARABOUT •

Dirección editorial: Tomás García Cerezo
Editora responsable: Verónica Rico Mar
Traducción de E. L., S. A. de C. V. con la colaboración de Lucrecia Orensanz Escofet
Asistencia editorial: Gustavo Romero Ramírez
Asesoría: Ricardo Muñoz Zurita
Diseño: Lourdes Guzmán Muñoz
Formación: Rossana Treviño Tobías
Fotografía complementaria: Federico Gil y Archivo de Ediciones Larousse México
Portada de E. L., S. A. de C. V. con la colaboración de Pacto Publicidad

Título original: *Cuisine Express*
Autor: Aude de Galard, Leslie Gogois
Fotografía: Philippe Vaurès-Santamaria

ISBN: 978-970-22-2021-3

PRIMERA EDICIÓN

Impreso en México – Printed in Mexico

Significado de los símbolos

costo: barato
razonable
caro

dificultad: muy fácil
fácil
difícil

Esta obra se terminó de imprimir en septiembre del 2007
en Editorial Impresora Apolo S.A. de C.V., Centeno 150-6
Col. Granjas Esmeralda, C.P. 09810, México D.F.

Contenido

En menos de 15 minutos

Bagel nórdico

preparación: 15 min • costo • dificultad

Esta receta es ideal para las tardes en que transmiten programas divertidos en la televisión.
¡En 15 minutos queda lista!

Ingredientes para 4 personas

220 g de queso crema o de cabra

2 cucharadas de cebollín fresco picado

2 cucharadas de eneldo fresco picado

4 bagels con ajonjolí

6 rebanadas de salmón ahumado cortado en tiras anchas

el jugo de 1 limón

pimienta

Preparación

- En un tazón, aplaste con un tenedor el queso con el cebollín, el eneldo y bastante pimienta.
- Abra los bagels por la mitad y dórelos ligeramente. Cubra la parte inferior de cada uno con la preparación de queso.
- Rocíe el salmón con el jugo de limón. Ponga sobre el queso 2 tiras de salmón, coloque las tapas y sirva.

Consejos

- Para un bagel aún más exquisito, agregue algunas rebanadas de aguacate entre el queso y el pescado o algunas bayas de pimienta rosa a la preparación de queso. ¡Es una delicia!
- Para calentar estos bagels, puede colocarlos 5 minutos en la parrilla del horno.

Para variar

- Bagel de guacamole y salmón: simplemente, sustituya la preparación de queso por guacamole. Puede agregar algunos camarones cocidos al salmón ahumado.

El vino que combina

Sirva estos bagels con vodka.

Bocadillos de jamón serrano y queso panela

preparación: 13 min • costo • dificultad

Una muy buena opción para disfrutar la maravillosa combinación de jamón y queso.

Ingredientes para 4 personas

4 rebanadas de pan de caja blanco o integral

4 cucharadas de queso untable

8 rebanadas de jamón serrano

220 g de queso panela cortado en rebanadas

4 cucharadas de aceitunas verdes picadas finamente

½ pepino en rebanadas

Preparación

- Parta en cuadros de 3 × 3 centímetros aproximadamente las rebanadas de pan. Unte un poco de queso sobre cada una; después ponga encima 1 rebanada de jamón serrano doblada, el queso panela, un poco de aceitunas y por último 1 rebanada de pan.
- Atraviese 1 rebanada de pepino con un palillo y sujete con él los bocadillos. Sirva enseguida.

Consejos

- El acompañamiento perfecto para estos bocadillos es una ensalada de berros aderezada con aceite de nuez. Para un toque más original, sirva con una ensalada de endibias con cubos pequeños de manzana verde.
- Puede sustituir el pepino por rebanadas de jitomate.
- Piense también en elaborar estos bocadillos en forma de sándwich para un picnic veraniego.

El vino que combina

Para acompañar estos bocadillos de jamón serrano, ofrezca un vino blanco ligero.

Bocadillos de queso brie y jamón serrano

preparación: 9 min • cocción: 10 min • costo • dificultad

Vale la pena probar esta combinación de queso y jamón madurados... ¡Éxito asegurado!

Ingredientes para 6 personas

1 diente de ajo pelado y picado finamente

1 calabacita cortada en rebanadas delgadas

1 cucharada de aceite de oliva

6 rebanadas de pan campesino o chapata

1 queso tipo brie (200 g) cortado en 12 rebanadas

6 rebanadas de jamón serrano cortado en tiras

pimienta

Preparación

- Precaliente el horno a 220 °C.
- En un sartén a fuego medio caliente el aceite de oliva; fría el ajo, añada la calabacita y cocine unos 5 minutos volteando de vez en cuando.
- Coloque las calabacitas sobre las rebanadas de pan y cúbralas con las rebanadas de queso. Espolvoree con pimienta y meta los bocadillos al horno durante 4 o 5 minutos, hasta que el queso se funda.
- Sáquelos y acomode sobre cada uno las tiras de jamón serrano.

Consejos

- Dele un toque personal a los bocadillos agregando nueces trituradas o pepinillos cortados en cubos pequeños.
- No dude en agregar 1 o 2 jitomates deshidratados a estos bocadillos, ¡nadie se quejará!

Para variar

Dore las rebanadas de pan, úntelas con crema ácida, coloque encima rebanadas de pepino, queso de cabra, jamón serrano, y ¡listo!

Pico de gallo de jícama y xoconostle

preparación: 6 min • costo • dificultad

En este pico de gallo, el xoconostle otorga ese toque ácido y muy particular que dejará sorprendidos a sus invitados.

Ingredientes para 6 personas

½ kg de jícamas peladas, cortadas en cubos pequeños de 1 cm por lado aproximadamente

3 xoconostles grandes sin semillas, pelados y cortados en cubos pequeños

¼ taza de cebolla blanca picada finamente

3 chiles serranos frescos picados finamente

1 cucharadita de orégano seco

2 cucharadas de jugo de limón

sal

Preparación

- En un tazón mezcle todos los ingredientes hasta que queden bien incorporados. Pruebe y ajuste de sal.
- Sirva como botana para comer con tenedores, palillos de madera o totopos de tortillas de maíz.

Consejo

El xoconostle es una fruta ácida, saludable y muy sabrosa que lamentablemente se usa muy poco. La buena noticia es que se puede almacenar por varias semanas sin que se eche a perder, sólo se tornará de verde a rosa intenso. Téngalo siempre a la mano para utilizarlo en cualquier preparación.

Salsa verde cruda

preparación: 5 min • costo • dificultad

Esta salsa, que se conserva muy bien hasta dos días en refrigeración, es excelente compañera de cualquier carne o pechuga de pollo asada, incluso de verduras salteadas o cocidas.

Ingredientes para 2 tazas

½ kg de tomate verde sin cáscara y partidos en cuatro

3 chiles serranos frescos, troceados

¼ taza de cebolla picada finamente

½ cucharadita de ajo picado finamente

¼ taza de cilantro fresco picado toscamente

sal

Preparación

- Licúe los tomates —sin agua— con los chiles hasta obtener una salsa tersa. Detenga la licuadora, añada la cebolla, el ajo, el cilantro y la sal y vuelva a licuar unos 5 segundos más. Pruebe y ajuste de sal.
- Sirva en una salsera a temperatura ambiente.

Para variar

Para hacer otra variante de esta salsa, se puede añadir un aguacate en cubos pequeños.

Camarones salteados con ajo y hierbas finas

preparación: 5 min • cocción: 5 min • costo • dificultad

Un plato a la vez ligero y festivo. También puede servir esta sartenada de camarones como aperitivo. Para comerlos hay que usar las manos, cierto, pero ¡qué delicia!

Ingredientes para 4 personas

1 diente de ajo pelado y picado

32 camarones frescos

6 ramitas de albahaca picadas finamente

2 cucharadas de aceite de oliva

6 ramitas de perejil picadas finamente para decorar

sal y pimienta

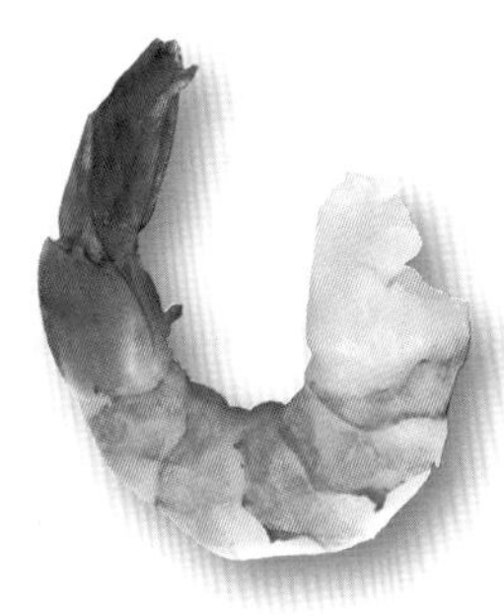

Preparación

- Caliente el aceite en un sartén grande y antiadherente. Agregue el ajo y fríalo unos segundos. Agregue los camarones, la albahaca, sal y pimienta. Saltee todo a fuego alto de 4 a 5 minutos sin dejar de revolver.
- Para servir, espolvoree los camarones salteados con el perejil picado.

Consejos

- Puede elaborar este plato con camarones cocidos y pelados. En este caso, reduzca un poco el tiempo de cocción. Si le gustan los sabores fuertes, utilice 2 o hasta 3 dientes de ajo.
- Si no tiene a la mano hierbas frescas, utilice una mezcla de hierbas secas (hierbas finas).
- Si sirve estos camarones como aperitivo, ofrezca a un lado pequeños vasos de gazpacho (ver p. 122).

El vino que combina

Pruebe estos camarones con algún vino rosado.

El clásico carpaccio de res

preparación: 10 min • costo • dificultad

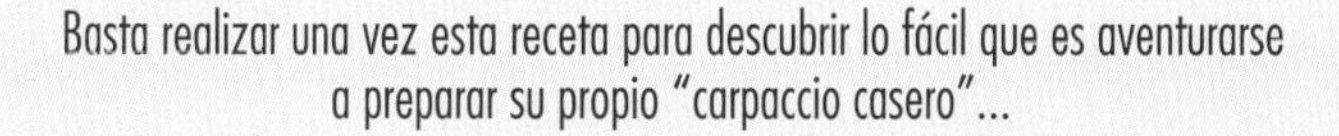

Basta realizar una vez esta receta para descubrir lo fácil que es aventurarse a preparar su propio "carpaccio casero"...

Ingredientes para 4 personas

Para la ensalada

2 tazas de arúgula o lechugas mixtas troceadas toscamente

2 cucharadas de aceite de oliva

2 cucharadas de aceitunas negras sin hueso, picadas

pimienta

Para el carpaccio

500 g de filete de res cortado para carpaccio

8 cucharadas de aceite de oliva

150 g de queso parmesano

4 cucharadas de alcaparras

½ limón en rebanadas

sal y pimienta

Preparación

- Lave y escurra la arúgula o las lechugas. En una ensaladera mezcle el aceite de oliva y las aceitunas. Sazone con pimienta y agregue la arúgula o las lechugas; mezcle bien y distribuya en cuatro tazones.
- Para el carpaccio, disponga la carne en forma de rosetón en cuatro platos grandes. Rocíe cada plato con 2 cucharadas de aceite de oliva; salpimiente ligeramente.
- Haga virutas de parmesano con un pelapapas y distribúyalas sobre la carne. Agregue las alcaparras, sirva con la ensalada y decore con las rebanadas de limón.

Consejos

- Intente conseguir alcaparras italianas, que son más grandes. Se encuentran en las tiendas de productos gourmet o importados.
- Para servir este carpaccio como aperitivo, enrolle cada rebanada de carne alrededor de un palito de pan... ¡Deliciosamente crujiente!

Salsa tártara de salmón

preparación: 15 min • costo • dificultad

Una receta infalible que se ha patentado más de una vez. He aquí los secretos.

Ingredientes para 4 personas

Para la salsa tártara de salmón

4 cucharadas de mayonesa

2 cucharadas de alcaparras

4 ramitas de eneldo picadas finamente

3 cebollas cambray picadas finamente

6 pepinillos encurtidos cortados en cubos pequeños

el jugo de 1 limón

400 g de salmón fresco sin espinas cortado en trozos pequeños

200 g de salmón ahumado en cubos

jitomates y piñones para adornar

sal y pimienta

Para la ensalada

4 tazas de lechugas mixtas lavadas y escurridas

4 cucharadas de aceite de oliva

2 cucharadas de vinagre balsámico

Preparación

- En una ensaladera mezcle todos los ingredientes de la salsa tártara. Pruebe y ajuste de sal si es necesario.
- Por separado aderece la lechuga con el aceite de oliva y el vinagre balsámico; divida la mezcla en cuatro platos y coloque en cada uno una cuarta parte de la salsa tártara.
- Para servir, adorne con los jitomates y los piñones. Consuma enseguida.

Consejos

- ¿El toque final? Coloque sobre cada plato 1 cucharada de hueva de salmón y 1 ramita de eneldo; o agregue 1 aguacate o pepino cortado en cubos pequeños.
- Para una mejor presentación, decore con jitomates deshidratados y picados, además de piñones.

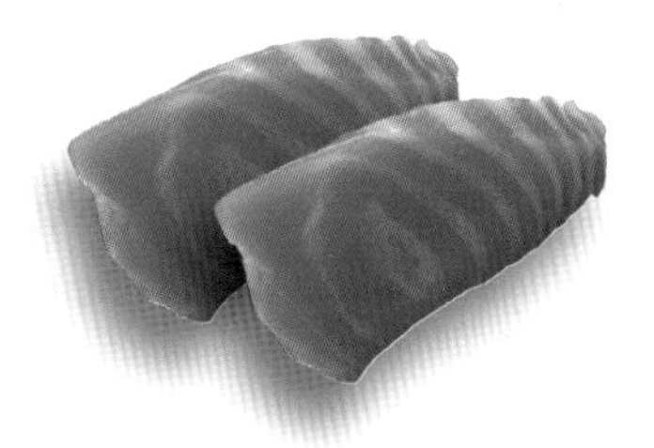

Sándwich suave de atún

preparación: 5 min • cocción: 10 min • costo • dificultad

Una pequeña receta para esos almuerzos a las carreras...

Ingredientes para 4 personas

3 latas de atún en agua chicas, drenadas

200 g de queso crema

6 ramitas de estragón picadas finamente

2 cucharadas de aceite de oliva

4 panes chapata

2 huevos cocidos y rebanados

1 endibia, lavada y deshojada

sal y pimienta

Preparación

- En un tazón, machaque el atún con el queso y el estragón. Salpimiente, rocíe con aceite de oliva y mezcle bien.
- Abra los panes a la mitad a lo largo. Unte las 4 bases con la pasta de atún, distribuya las rebanadas de huevo y las hojas de endibia. Coloque las tapas de pan y sirva.

Consejos

- La pasta de atún debe quedar suave, pero no líquida.
- Puede sustituir el estragón por eneldo, perejil o incluso cilantro.

Tortilla de huevo con chorizo picante

preparación: 7 min • cocción: 8 min • costo • dificultad

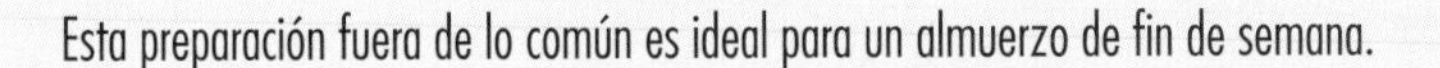

Esta preparación fuera de lo común es ideal para un almuerzo de fin de semana.

Ingredientes para 4 personas

1 lata de pimientos morrones rojos cortados en tiras

4 cucharadas de aceite de oliva

10 huevos

2 cucharadas de leche

130 g de chorizo español picante, picado en trozos pequeños

pimienta

Preparación

- Caliente el aceite en un sartén antiadherente, agregue el pimiento y fría de 3 a 4 minutos revolviendo regularmente.
- Mientras tanto, vierta en un recipiente los huevos, la leche y un poco de pimienta; bata bien con un tenedor o un batidor de globo. Agregue el chorizo y mezcle bien.
- Vierta la mezcla del huevo batido sobre el sartén con el pimiento. Mezcle suavemente con una pala de madera y deje cocinar la tortilla unos 7 minutos.
- Cuando la superficie esté semisólida, dé la vuelta a la tortilla. Para esto, coloque encima del sartén un plato amplio, dé la vuelta al sartén para que la tortilla caiga sobre el plato y deslice la tortilla nuevamente al sartén. Cocine unos minutos más.
- Para servir, corte en rebanadas triangulares y consuma enseguida.

Consejos

- Si no tiene chorizo español a la mano, puede remplazarlo por cualquier chorizo mexicano.
- Para lograr un sabor un poco más clásico, agregue 1 cucharada de perejil picado finamente a los huevos batidos.

El vino que combina

Con esta tortilla especiada, sirva un rioja.

Ensalada de kiwi, camarón, toronja y algo más

preparación: 15 min • costo • dificultad

Pruebe esta entrada vitaminada... el sabor de los camarones con las notas aciduladas de la vinagreta despertarán hasta las papilas más adormecidas.

Ingredientes para 4 personas

Para la ensalada

2 kiwis pelados y rebanados

1 pepino cortado en medias lunas

220 g de queso feta cortado en cubos pequeños

2 toronjas rosas peladas y partidas en gajos (ver p. 125)

20 camarones cocidos y pelados

Para la vinagreta

el jugo de 1 limón

2 cucharadas de vinagre de arroz

5 cucharadas de aceite de oliva

sal y pimienta

Preparación

- Coloque todos los ingredientes de la ensalada en una ensaladera y mezcle suavemente.
- Para la vinagreta, en un tazón mezcle el jugo de limón, vinagre, sal y pimienta. Agregue el aceite en forma de hilo fino batiendo vigorosamente.
- Aderece la ensalada justo antes de servir.

Consejos

- Si quiere servir esta ensalada como plato fuerte, aumente las proporciones.
- Para lograr un sabor más intenso, elija camarones frescos y pélelos.

Para variar

- Puede sustituir el vinagre de arroz por vinagre de vino blanco y el queso feta por queso mozzarella o panela.
- Agregue a esta ensalada berros, arúgula o cualquier lechuga de su elección.
- Si no tiene tazones para la ensalada, sírvala en las cáscaras de toronja.

El vino que combina

Con esta ensalada tan dulce, sirva un blanco fresco y ligero.

Guacamole tropical

preparación: 15 min • costo • dificultad

¡Este guacamole puede enloquecer a cualquiera, especialmente cuando los mangos manila se encuentran en temporada!

Ingredientes para 6 personas

- 1 mango manila maduro, de 300 g aproximadamente, pelado y cortado en cubos pequeños de 1 cm por lado
- ¼ de taza de jícama en cubos pequeños de ½ cm por lado
- ¼ de taza de cebolla morada o blanca picada finamente
- ¼ de cucharadita de ajo picado finamente
- 2 cucharadas de jugo de limón
- 2 aguacates grandes maduros
- 2 cucharadas de granos de granada roja (opcional)
- sal y pimienta

Preparación

- En un tazón grande, combine el mango, la jícama, la cebolla, el ajo, el jugo de limón, la sal y la pimienta; reserve.
- Parta los aguacates por mitades, retire los huesos y con una cuchara extraiga toda la pulpa; macháquela ligeramente hasta que quede martajada y mézclela con el mango y los demás ingredientes. Pruebe y ajuste de sal al gusto.
- Sirva el guacamole y adorne con los granos de granada roja (opcional).

Consejo

El acompañante ideal para este guacamole son unos totopos de tortilla de maíz.

Ensalada de jícama con aguacate y amaranto

preparación: 15 min • costo • dificultad

Sorprenda a sus invitados utilizando amaranto, el cual es muy vistoso, práctico y sobre todo ¡muy nutritivo!

Ingredientes para 6 personas

Para el aderezo

⅔ de taza de vinagre de manzana o blanco

¼ de taza de cebolla troceada

1 diente de ajo

½ taza de hojas de perejil picado

1 taza de cilantro picado

1 cucharada de miel

1 chile de árbol fresco o serrano sin semillas ni venas

1 taza de aceite de oliva

sal

Para la ensalada

600 g de jícama pelada y cortada en tiras largas

2 aguacates sin hueso y sin cáscara, cortados en rebanadas

6 cucharadas de amaranto

sal y pimienta

Preparación

Aderezo

- Licúe todos los ingredientes hasta obtener una salsa tersa. Reserve en refrigeración hasta el momento de usar.

Ensalada

- Divida en 6 porciones la jícama y el aguacate, coloque cada porción en un plato y salpimiente ligeramente. Bañe con 2 o 3 cucharadas de aderezo cada porción. Adorne espolvoreando con el amaranto.

Consejo

Cuando sea temporada de mangos, no deje de añadirlos a esta ensalada, descubrirá que la receta se vuelve aún más sabrosa.

Ensalada de pasta, queso feta y jitomates deshidratados

preparación: 4 min • cocción: 10 min • costo • dificultad

Una opción muy nutritiva para un platillo gourmet exprés

Ingredientes para 4 a 6 personas

500 g de pasta de moñito o pasta corta

8 cucharadas de aceite de oliva

2 cucharadas de salsa pesto (ver p. 123)

300 g de queso feta o mozzarella cortado en cubos pequeños

150 g de jitomates deshidratados cortados en cubos pequeños

300 g de jitomates cherry cortados por mitad

¼ de taza de albahaca picada finamente

¼ de taza de arúgula picada finamente (opcional)

¼ de taza de piñones

sal y pimienta

Preparación

- Cocine la pasta *al dente* en agua salada hirviendo (alrededor de 10-12 minutos siguiendo las instrucciones del paquete).
- En un tazón mezcle el aceite con la salsa pesto y salpimiente.
- Cuando la pasta esté cocida, escúrrala bien, pásela por agua fría y escúrrala nuevamente. Colóquela en una ensaladera, vierta la salsa y mezcle bien. Agregue todos los demás ingredientes, salpimiente, mezcle y sirva.

Consejos

- Los jitomates deshidratados en aceite de oliva se encuentran en algunos supermercados o con los importadores de productos italianos.
- Esta receta queda igualmente bien con cualquier otro tipo de pasta corta.
- El acompañamiento ideal para esta ensalada es un platón de carnes frías italianas y un vaso pequeño de chianti.

Pasta a los tres quesos con avellanas

preparación: 4 min • cocción: 10 min • costo 🛎🛎 • dificultad

Para jugarle a la *dolce vita*, sirva esta pasta a los tres quesos precedida por un antipasto y cierre el ciclo con un tiramisú (receta en la p. 61).

Ingredientes para 4 personas

400 g de pasta tipo pluma o macarrón

200 ml de crema ácida

130 g de queso gorgonzola desmoronado

130 g de queso parmesano rallado

130 g de queso gruyere rallado

½ taza de avellanas con piel finamente troceadas

hojas de arúgula o perejil para decorar

pimienta al gusto

Preparación

- En una cacerola con agua salada hirviendo cocine la pasta, aproximadamente de 10 a 12 minutos siguiendo las instrucciones del paquete.
- En otra cacerola, caliente la crema ácida a fuego bajo sin que hierva. Agregue los quesos revolviendo constantemente con un batidor de globo hasta que se hayan fundido.
- Cuando esté cocida la pasta, escúrrala, distribúyala entre cuatro platos hondos y cúbrala con la salsa de quesos. Espolvoree generosamente con las avellanas y la pimienta. Decore con las hojas de perejil y sirva enseguida.

Consejos

- No hace falta agregar sal a esta receta, los quesos tienen suficiente.
- Puede agregar a esta pasta un puñado de arúgula picada finamente para exaltar su perfume. ¡Más de uno se sorprenderá!
- Puede sustituir las avellanas por almendras y el queso gorgonzola por queso roquefort o alguno que se derrita fácilmente.

Tallarines con jamón serrano y queso parmesano

preparación: 3 min • cocción: 12 min • costo • dificultad

¿La clave del éxito de esta receta? Cuanto más parmesano, mejor...
Así que no dude en agregar más justo antes de servir.

Ingredientes para 4 personas

450 g de tallarines

300 ml de crema ácida

130 g de queso parmesano rallado

8 hojas de salvia picadas finamente

8 rebanadas finas de jamón serrano cortado en tiras

hojas de salvia para decorar

sal y pimienta

Preparación

- En una cacerola con agua salada hirviendo cocine los tallarines siguiendo las instrucciones del paquete.
- Mientras tanto, mezcle en un tazón la crema con el queso parmesano y la salvia. Sazone ligeramente con sal y generosamente con pimienta.
- Cuando esté cocida la pasta, escúrrala y vuelva a colocarla en la cacerola. Vierta la preparación de crema y caliente algunos instantes sin dejar de mover pero sin batir la pasta.
- Para servir, distribúyala entre cuatro platos hondos, cúbrala con las tiras de jamón y decore con las hojas de salvia.

Consejos

- El queso parmesano y el jamón ya tienen bastante sal, así que procure no agregar más de ella a la pasta.
- Cueza la pasta en abundante agua para que no se pegue.
- Si llega a encontrar queso pecorino, delicioso producto que se consigue con los importadores de productos italianos, rállelo y olvide el parmesano. ¡Es excelente!
- El tallarín se puede sustituir por cualquier pasta italiana, y el jamón serrano por jamón de Parma o prosciutto.

El vino que combina

Acompañe esta pasta con un vino tinto ligero.

Tallarines de calabacita, queso feta y pato

preparación: 15 min • costo • dificultad

Una ensalada ideal para servir en cualquier brunch o picnic. Los tallarines de calabacita son sencillísimos de preparar y deslumbrarán a sus invitados...

Ingredientes para 6 personas

Para la ensalada

6 calabacitas

350 g de queso feta en trozos

¼ de taza de avellanas o almendras troceadas y tostadas

30 rebanadas de filete de pato ahumado cortado en tiras

¼ de taza de pasas

Para la vinagreta

8 cucharadas de vinagre de jerez

8 cucharadas de aceite de oliva

8 cucharadas de aceite de nuez

¼ de taza de albahaca picada finamente

sal y pimienta

Preparación

- Con un pelapapas corte láminas muy delgadas de calabacitas como si fueran tallarines —no llegue hasta las semillas centrales—; colóquelas en una ensaladera con los demás ingredientes.
- Para la vinagreta, en un tazón, mezcle el vinagre de jerez con pimienta. Incorpore los aceites en forma de hilo sin dejar de mover; añada la albahaca y rectifique la sal.
- Para servir, coloque la ensaladera al centro y la vinagreta por separado para que cada comensal se sirva a su gusto.

Consejos

- En lugar de aceite de nuez, puede usar la misma cantidad de aceite de oliva. Y si no tiene vinagre de jerez, use vinagre balsámico.
- Para suavizar las pasas, remójelas unos momentos en un tazón con agua tibia.

Para variar

- Sustituya el queso feta por cubos de queso roquefort o gorgonzola. Y las tiras de calabacita por tallarines cocidos. ¡También queda estupendo!
- En caso de que no consiga los filetes de pato, esta receta queda también de maravilla con filetes de pavo, o hasta pechuga de pollo asada.

El vino que combina

Sirva estos originales tallarines con un vino blanco añejado.

Atún rojo a la pimienta con salsa de cilantro

preparación: 8 min • cocción: 6 min • costo • dificultad

Esta salsa de cilantro queda de maravilla con el atún. ¡No se arrepentirá!

Ingredientes para 4 personas

Para los filetes

1 trozo de atún rojo de 600 g aproximadamente

4 cucharaditas de pimientas mixtas trituradas

3 cucharadas de aceite de oliva

¼ de taza de cilantro picado

sal

Para la salsa de cilantro

8 cucharadas de aceite de oliva

3 cucharadas de vinagre balsámico

el jugo de ½ limón

¼ de taza de cilantro picado

Preparación

- Sale el atún. Extienda las pimientas sobre un platón y revuelque el pescado por ambos lados, apretando bien para que se adhieran.
- En un sartén antiadherente caliente el aceite de oliva. Agregue el lomo de atún y cocine por 2 minutos por cada lado.
- Para la salsa de cilantro, en un tazón, mezcle el aceite, el vinagre y el jugo de limón. Agregue el cilantro.
- Para servir, corte el lomo de atún en rebanadas, acomode cada filete en un plato y acompáñelo con un tazón pequeño de salsa de cilantro; decore con el cilantro fresco.

Consejo

El atún es uno de los pocos pescados que tiene términos de cocción; puede servirlo únicamente cocido por fuera y totalmente crudo por dentro. ¡Es delicioso!

Para variar

- Agregue ½ cucharadita de jengibre fresco pelado y picado. ¡Este toque exótico causará sensación!
- Para una versión ultraligera, sirva el atún con una salsa de yogur mezclando 400 ml de yogur natural, 1 cucharada de mayonesa, 6 cucharadas de cilantro picado finamente y 1 cucharadita de mostaza. Salpimiente y ¡listo!
- Atún con costra de ajonjolí: revuelque el atún en ajonjolí. En este caso, suprima la pimienta.

Filete de pescado fresco con tocino

preparación: 1 min • cocción: 6 min • costo • dificultad

Pruebe esta combinación excelente... En un máximo de 7 minutos, obtendrá un plato digno de presumirse.

Ingredientes para 4 personas

16 rebanadas de tocino

2 cucharadas de aceite de oliva

4 filetes de mero, robalo o huachinango fresco con piel

granos de pimienta para decorar

pimienta

Preparación

- Caliente un sartén antiadherente y dore en él las rebanadas de tocino; retírelo y resérvelo.
- En el mismo sartén coloque el pescado del lado de la piel y deje dorar por unos 4 o 5 minutos. Voltee y deje cocer 1 minuto más.
- Sazone con pimienta y sirva cada lomo con 4 rebanadas de tocino crujientes; adorne con los granos de pimienta.

Consejos

- Para esta receta puede utilizar también bacalao, cabrilla o pargo.
- Este plato queda fabuloso con una sartenada de calabacitas con aceite de oliva o un buen puré de papas.

Para variar

Para un toque festivo para una cena entre amigos, vierta en la batidora 100 ml de crema líquida bien fría en un tazón previamente enfriado; bata hasta obtener una consistencia de crema chantilly. Salpimiente y agregue cebollín picado finamente. Coloque 1 cucharadita de crema sobre el tocino al momento de servir.

El vino que combina

¡El tinto sí combina con pescado! Sirva un valpolicella o cualquier otro vino italiano como el nebbiolo.

Filete de res con salsa de mostaza

preparación: 3 min • cocción: 10 min • costo • dificultad

Una de las preparaciones clásicas, sencillas y deliciosas, para agasajar a sus invitados.

Ingredientes para 4 personas

4 filetes de res de 180 g c/u aproximadamente

1 cucharada de mantequilla

1 diente de ajo pelado y picado

4 cucharadas de vino blanco seco

1 cucharada de pimienta negra triturada

400 ml de crema ácida

5 cucharadas de mostaza de Dijon

hojas de perejil para decorar

sal

Preparación

- En un sartén antiadherente caliente la mantequilla; agregue los filetes de res y cocínelos alrededor de 3 minutos por cada lado. Cuando estén cocidos, manténgalos calientes entre dos platos.
- En el mismo sartén, fría el ajo por 1 minuto, agregue el vino, la pimienta y deje reducir. Vierta la crema con la mostaza y caliente a fuego alto hasta que empiece a hervir. Agregue sal y mezcle bien; deje cocer a fuego bajo 3 minutos hasta que espese.
- Para servir, en un plato coloque los filetes, cúbralos con un poco de salsa y decore con hojas de perejil. Sirva en un recipiente aparte más salsa para que cada comensal se sirva a su gusto.

Consejos

- Puede aumentar o disminuir el tiempo de cocción de la carne según el término que desee.
- Esta receta queda de lujo con tallarines, puré, o chícharos como guarnición.

Pechuga de pato a la miel

preparación: 7 min • cocción: 8 min • costo • dificultad

Una opción adecuada para innovar con otro tipo de aves en la cocina.

Ingredientes para 4 personas

50 g de mantequilla

½ taza de cebolla picada finamente

2 chalotes pelados y picados finamente

5 cucharadas de vinagre de jerez

5 cucharadas de miel

600 g de pechuga de pato, sin piel ni grasa, cortada en tiras

hojas de cilantro para decorar

sal y pimienta

Preparación

- Caliente un sartén antiadherente y derrita la mitad de la mantequilla (25 gramos). Agregue la cebolla y los chalotes, fría de 4 a 5 minutos. Agregue el vinagre, la miel y cocine 2 minutos más revolviendo regularmente.
- Mientras tanto, derrita el resto de la mantequilla en otro sartén. Agregue las tiras de pato y dórelas 4 minutos revolviendo regularmente. Salpimiente y vierta encima la preparación de chalotes; mezcle bien para que el pato se impregne con la salsa.
- Sirva bien caliente con la salsa y decore con hojas de cilantro.

Consejos

- Si no tiene vinagre de jerez, utilice vinagre balsámico.
- Para ahorrar tiempo, elabore esta receta con filetes de pato o pavo ahumados; son más caros pero más prácticos.
- Este plato queda de maravilla servido con un tazón de arroz blanco.
- En caso de que no consiga los chalotes, puede sustituirlos por una combinación de 2 partes de cebolla y 1 parte de ajo.

Robalo al eneldo

preparación: 10 min • cocción: 4 min • costo • dificultad

¿El pequeño extra de esta receta? La ensalada de brotes de espinaca con aceite de avellana... Los aceites de cacahuate y de avellana se encuentran en la sección gourmet de las tiendas departamentales.

Ingredientes para 6 personas

Para la ensalada

5 cucharadas de aceite de cacahuate

4 cucharadas de aceite de avellana

4 cucharadas de vinagre de vino blanco

1 taza de almendras troceadas toscamente

3 tazas de brotes de espinaca

sal y pimienta

Para el robalo al eneldo

6 filetes de robalo con piel, de 180 g c/u aproximadamente

2 cucharadas de aceite de oliva

2 cucharadas de jugo de limón

¼ de taza de eneldo picado

ramas de eneldo y cuartos de limón para decorar

sal y pimienta

Preparación

- En una ensaladera, mezcle los 2 aceites con el vinagre; salpimiente y agregue las almendras y los brotes de espinaca. Mezcle bien y distribuya la ensalada en seis tazones.
- En un sartén antiadherente, caliente 1 cucharada de aceite a fuego alto. Coloque los filetes de robalo sobre el lado de la piel y déjelos cocinar alrededor de 3 minutos. Deles vuelta y déjelos cocinar 1 minuto más.
- Cuando los filetes estén cocidos, salpimiéntelos y báñelos con el aceite de oliva restante y el jugo de limón. Espolvoréelos con el eneldo picado y sírvalos con la ensalada; decore con las ramas de eneldo y los cuartos de limón.

Consejos

- Puede sustituir el eneldo por hinojo, albahaca o perejil, y las almendras por avellanas.
- Para un toque agridulce, agregue un puñado de pasas a la ensalada.

Crumble de choco-pera y pan de nuez

preparación: 7 min • cocción: 8 min • costo • dificultad

Un postre de último minuto para compartir mirándose a los ojos. El pan se pone crujiente mientras las chispas de chocolate se funden. ¡Pecado capital!

Ingredientes para 2 personas

1 lata de peras en almíbar (aproximadamente 225 g ya drenadas)

50 g de mantequilla con sal

4 rebanadas de panqué de nuez comercial

2 cucharadas de chispas de chocolate

Preparación

- Precaliente el horno a 230 °C. Derrita la mantequilla en el microondas. Coloque las rebanadas de pan en el tostador; cuando estén doradas, desmenúcelas en un tazón grande. Vierta la mantequilla derretida y mezcle bien con un tenedor.
- Escurra las peras, córtelas en cubos pequeños y distribúyalas entre dos tazones. Esparza por encima las chispas de chocolate y luego la mezcla de pan. Hornee 8 minutos y sirva caliente.

Consejos

- Puede sustituir las chispas de chocolate oscuro por chocolate blanco o chocolate con leche.
- Juegue con la combinación frío-caliente colocando sobre cada crumble 1 bola de helado de vainilla. ¡Es para desmayarse!

Duraznos con nueces garapiñadas

preparación: 10 min • cocción: 5 min • costo • dificultad 

¡Esta combinación es todo un deleite. Lo crujiente de las nueces garapiñadas, la suavidad del durazno y la textura cremosa del helado es para chuparse los dedos!

Ingredientes para 6 personas

6 cucharadas de azúcar morena

8 cucharadas de nueces garapiñadas picadas

8 cucharadas de miel

6 duraznos pelados, deshuesados y partidos por mitad

30 g de mantequilla

6 bolas de helado de vainilla

3 galletas de mantequilla tipo danesas troceadas

Preparación

- En un plato hondo, mezcle el azúcar y la nuez garapiñada. Vierta la miel en otro tazón. Moje cada mitad de durazno en la miel y luego pásela por la mezcla de nueces garapiñadas.
- Caliente la mantequilla en un sartén antiadherente. Acomode los duraznos y deje cocer 5 minutos, dándoles vuelta con cuidado de vez en cuando.
- Coloque medio durazno en cada plato. Acomode encima de cada uno 1 bola de helado y cúbralo con la otra mitad de durazno. Esparza por encima las galletas troceadas.

Consejo

En lugar de duraznos frescos, puede usar chabacanos o duraznos en almíbar.

Fresas y frambuesas salteadas con azúcar y vainilla

preparación: 10 min • cocción: 3 min • costo • dificultad

El azúcar y la vainilla potencian todo el aroma y sabor de los frutos del bosque en esta preparación. Intente también con arándanos, resulta igual de exquisito.

Ingredientes para 6 personas

100 g de mantequilla

1 vaina de vainilla

75 g de azúcar en polvo

1 kg de fresas, limpias, sin rabos y en mitades o cuartos según su tamaño

500 g de frambuesas o zarzamoras

6 bolas de nieve de maracuyá o vainilla (opcional)

Preparación

- Derrita la mantequilla en un sartén grande a fuego bajo. Abra la vaina de vainilla a la mitad y raspe el interior con un cuchillo. Coloque las semillas y la vaina en la mantequilla derretida. Agregue el azúcar y las frutas. Mezcle suavemente y deje cocinar alrededor de 3 minutos.

- Para servir, distribuya la fruta salteada en seis tazones y agregue 1 bola de nieve de maracuyá en cada uno.

Consejo

Si quiere un postre de fruta fresca 100%, elimine la nieve: ¡queda igualmente delicioso!

Para variar

- Un toque afrodisíaco: agregue 2 cucharadas de jengibre fresco rallado justo antes de servir.

- Y un toque fresco: agregue 1 cucharada de licor de anís junto con las frutas.

Higos a la canela empapelados

preparación: 4 min • cocción: 11 min • costo • dificultad

Las papilas enloquecerán con estos empapelados infalibles...

Ingredientes para 4 personas

2 peras grandes peladas, descorazonadas y cortadas en láminas o en cubos

8 higos maduros cortados en cuarterones

el jugo de ½ limón

8 pizcas de canela molida

4 cucharadas de azúcar morena

4 bolas de helado de vainilla

Preparación

- Precaliente el horno a 160 °C.
- Corte cuatro cuadros de papel aluminio. Distribuya y acomode la fruta en el centro de cada papel. Rocíela con jugo de limón y espolvoréela con canela y azúcar. Cierre los empapelados doblando los bordes. Hornee alrededor de 11 minutos.
- Al sacar los paquetes empapelados del horno, entreábralos con cuidado, coloque 1 bola de helado dentro de cada uno y sirva de inmediato.

Consejos

- Puede sustituir el azúcar por un poco de miel.
- Si no tiene papel aluminio, puede utilizar papel encerado.
- Cuando sea temporada, sustituya las peras por duraznos o nectarinas. Para alegrar la presentación, espolvoree con pistaches verdes troceados ligeramente.

Profiteroles al minuto

preparación: 15 min • costo • dificultad

Este postre tendrá una aprobación unánime en todas sus cenas. Pregunte en su panadería o pastelería por los choux o profiteroles hechos.

Ingredientes para 6 personas

18 panecillos tipo choux, grandes (ver p. 124)

6 bolas pequeñas de helado de vainilla

6 bolas pequeñas de helado de pistache

6 bolas pequeñas de nieve de frambuesa

300 g de chocolate oscuro partido en trozos

100 ml de crema para batir

¼ de taza de pistaches sin sal troceados (opcional)

Preparación

- Abra a la mitad los choux sin separar las tapas y coloque 1 bola de helado en cada uno. Métalos al congelador mientras prepara la salsa de chocolate.
- En una cacerola a fuego bajo, funda el chocolate con la crema. Revuelva regularmente hasta obtener una salsa suave.
- Retire los choux del congelador y distribúyalos en seis platos, de modo que quede uno de cada sabor en cada plato.
- Para servir, báñelos generosamente con la salsa de chocolate caliente y espolvoree todo con pistaches triturados.

Consejos

- En un recipiente aparte ponga más salsa de chocolate para que cada comensal se sirva a su gusto. ¡No lo dude, siempre alguien querrá más!
- Varíe los sabores de helado según sus gustos.

Para variar

Para una cena entre amigas, ofrezca una versión más ligera; en lugar de la salsa de chocolate, prepare una salsa de frutos rojos y elija solamente nieves a base de agua.

Sopa de chocolate

preparación: 10 min • cocción: 5 min • costo • dificultad

Como este postre es muy abundante, puede servirlo en tazas y alcanzará para 6 amigos en lugar de 4, ¡pero será igualmente sabroso!

Ingredientes para 4 personas

150 ml de leche descremada

150 ml de crema para batir

50 g de azúcar en polvo

200 g de chocolate oscuro en trozos

2 cucharadas de polvo de avellanas o almendras (opcional)

1 taza de almendras troceadas

crema chantilly lista para usar

Preparación

- En una cacerola a fuego bajo, hierva la leche con la crema y el azúcar, revolviendo regularmente.
- Cuando hierva la leche, agregue el chocolate y revuelva hasta que se funda bien. Agregue el polvo de avellanas o almendras. Mezcle bien. Vierta la sopa de chocolate en cuatro tazones y deje enfriar.
- Sirva cada tazón espolvoreado con trozos de almendra y coronado con crema chantilly.

Consejo

Para un postre más festivo, ofrezca guarniciones adicionales: almendras fileteadas, galletas de mantequilla, barquillos de galleta o incluso una mezcla de frutas secas.

Tiramisú de pera y Nutella

preparación: 15 min • costo • dificultad

Este tiramisú rompe todas las reglas... Y se prepara en un abrir y cerrar de ojos.

Ingredientes para 4 personas

150 ml de crema para batir

3 yemas de huevo

45 g de azúcar

1 cucharadita de esencia de vainilla

150 g de queso mascarpone o queso crema

trozos de merengue

½ taza de Nutella (crema de avellanas)

3 peras maduras peladas, descorazonadas y cortadas en cubos

2 cucharadas de cocoa en polvo

Preparación

- Vierta la crema líquida bien fría en un tazón y bátala con batidora eléctrica hasta formar chantilly. Colóquela en el refrigerador.
- En un recipiente bata las yemas con el azúcar y la vainilla hasta que la mezcla se blanquee. Agregue el queso mascarpone o queso crema y siga batiendo. Incorpore con movimientos envolventes la crema chantilly fría.
- Para armar el tiramisú, coloque en copas 1 capa de crema de mascarpone, algunos trozos de merengue, otra capa de crema, 2 cucharadas de nutella, cubos de pera y una última capa de crema.
- Espolvoree con cocoa. Refrigere hasta el momento de servir.

Consejos

- ¿La clave para que quede bien la crema chantilly? Utilice crema bien fría e incluso deje el tazón de la batidora vacío en el congelador durante un rato antes de comenzar.
- En lugar de peras, puede usar fresas, frambuesas e incluso duraznos.
- Los merengues puede conseguirlos ya hechos en algunas panaderías.
- Para una preparación más clásica, sustituya el merengue por soletas mojadas en café.
- Si no le gusta el sabor del huevo crudo, bata las yemas con el azúcar a baño María. Esta micrococción basta para eliminar el sabor a huevo.

En menos de 30 minutos

Huevos poché al roquefort

preparación: 4 min • cocción: 18 min • costo • dificultad

Y pensar que se necesita lo mínimo en el refrigerador para emprender esta suculenta receta...

Ingredientes para 4 personas

150 g de queso roquefort

4 cucharadas de crema fresca espesa

8 huevos frescos

pimienta

Preparación

- Precaliente el horno a 180 °C. En un tazón, mezcle el queso y la crema con ayuda de un tenedor.
- En cuatro tazones rompa 2 huevos en cada uno, agregue por encima 1 cucharada copeteada de la preparación de queso. Sazone generosamente con pimienta. Coloque los refractarios en otro más grande con agua caliente y hornéelos a baño María entre 16 y 18 minutos.

Consejos

- No olvide algunos trozos de pan para acompañar esta preparación.
- Queda a su gusto encontrar la dosis justa de roquefort: para los amantes de las sensaciones fuertes, aumente la cantidad a 200 gramos.

Para variar

- Huevos poché a las hierbas finas: sustituya el roquefort por 2 cucharadas de cebollín o estragón, picados finamente.
- Huevos poché gratinados con queso gruyere: ralle 80 gramos de queso gruyere y espolvoréelo sobre los cuatro refractarios antes de colocarlos en el horno. En este caso, elimine el queso roquefort.

Pizza de jitomates cherry y mozzarella

preparación: 6 min • cocción: 14 min • costo • dificultad

¡Ah, las alegrías de una pizza casera...!, y el placer de quien puede decir: "la hice yo".

Ingredientes para 4 personas

1 base para pizza precocida (se consigue en los supermercados)

1 lata pequeña de puré de jitomate (aproximadamente 70 g)

3 pizcas de orégano

2 pizcas de azúcar

125 g de queso mozzarella o tipo manchego, rallado

150 g de jitomates cherry partidos por mitad

¼ de taza de aceitunas negras picadas

3 cucharadas de albahaca picada

1 cucharada de aceite de oliva (opcional)

sal y pimienta

Preparación

- Precaliente el horno a 240 °C. Coloque la base para pizza en una charola para hornear engrasada ligeramente.
- En un tazón, mezcle el puré de jitomate con el orégano, el azúcar y abundante pimienta. Extienda esta salsa sobre la base.
- Distribuya sobre la pizza el queso mozzarella rallado y los jitomates con la parte cortada hacia arriba. Esparza las aceitunas y la albahaca. Rocíe con el aceite de oliva. Hornee de 13 a 14 minutos hasta que el queso esté bien fundido.

Consejos

- En lugar de la preparación con puré de jitomate, puede usar una salsa comercial para pizza o incluso para pasta, en este caso no utilice orégano, azúcar ni pimienta.
- Si no tiene orégano, sustitúyalo por tomillo o hierbas finas.
- Puede personalizar su pizza con rebanadas de jamón crudo, jitomates secos, champiñones rebanados o tocino dorado.

Sándwiches crocantes *principessa*

preparación: 10 min • cocción: 15 min • costo • dificultad

Unos sándwiches inventados por un monarca para su princesa...

Ingredientes para 6 personas

6 rebanadas de jamón serrano o de Parma

12 rebanadas de pan de caja

40 g de mantequilla

300 g de queso mozzarella en rebanadas

24 hojas de albahaca picadas finamente

1 cucharada de aceite de oliva

sal y pimienta

Preparación

- Precaliente el horno a 210 °C. Corte cada rebanada de jamón en dos y unte las rebanadas de pan con mantequilla por un solo lado.
- Forre una charola para hornear con papel encerado. Para armar los sándwiches, coloque sobre la charola 6 rebanadas de pan con la mantequilla hacia arriba. Acomode sobre cada una ½ rebanada de jamón y luego algunas rebanadas de queso. Sazone con poca sal y abundante pimienta. Espolvoree cada uno con el equivalente a 4 hojas de albahaca. Cierre cada sándwich con la otra rebanada de pan.
- Rocíe sobre los sándwiches el aceite de oliva. Hornee entre 13 y 15 minutos, hasta que queden bien dorados.

Consejos

- Para untar las rebanadas de pan sin problemas, saque la mantequilla del refrigerador 30 minutos antes de comenzar a preparar la receta. O bien, suavícela unos segundos en el microondas.
- Para que los sándwiches queden crocantes por ambos lados, puede darles vuelta a media cocción.
- Si no tiene papel encerado, utilice papel aluminio engrasado con aceite o mantequilla.

Para variar

Para lograr otros sabores, puede sustituir la albahaca por tomillo o una mezcla de hierbas finas. O bien, pruebe estos sándwiches sustituyendo el queso mozzarella por gorgonzola o roquefort. En este caso, elimine la sal.

Tartaletas de calabacita, tomillo y queso de cabra

preparación: 10 min • cocción: 25 min • costo • dificultad

Recuerde que la pasta hojaldrada la venden hecha en la sección de panadería de las tiendas departamentales.

Ingredientes para 6 personas

3 calabacitas cortadas en rodajas

2 cucharadas de aceite de oliva

6 triángulos de pasta hojaldrada

1 queso de cabra de 90 g, dividido en 6 rebanadas

6 pizcas de tomillo

sal y pimienta

Preparación

- Precaliente el horno a 210 °C. Caliente el aceite de oliva en un sartén antiadherente. Agregue las calabacitas y salpimiente. Cocínelas alrededor de 10 minutos, revolviendo regularmente.
- Coloque los 6 triángulos de pasta hojaldrada en una charola para hornear cubierta de papel encerado.
- Cuando las calabacitas estén cocidas, acomódelas como rosetón sobre las bases. Coloque 1 rebanada de queso sobre cada tartaleta. Espolvoree con tomillo y sazone generosamente con pimienta. Hornee alrededor de 15 minutos o hasta que el queso se haya fundido y la masa esté dorada.

Consejos

- Si no tiene papel encerado, sustitúyalo por papel aluminio engrasado con aceite o mantequilla.
- No dude en agregar algunas avellanas o nueces troceadas sobre cada tartaleta justo antes de servir. ¡Queda deliciosamente crujiente!

Tartaletas de manzana con queso de cabra

preparación: 10 min • cocción: 20 min • costo • dificultad

Una receta con aires de gran chef, pero facilísima de elaborar. No hay más que servirla con una ensalada de berros sazonada con aceite de nuez para completar la jugada.

Ingredientes para 4 personas

400 g de pasta hojaldrada

2 manzanas peladas, descorazonadas, cortadas en cuartos y luego en rebanadas

1 queso de cabra de 90 g, dividido en 8 rebanadas

½ taza de nueces troceadas

pimienta al gusto

Preparación

- Precaliente el horno a 200 °C.
- Extienda la pasta hojaldrada y corte 8 discos como de 6 centímetros de diámetro.
- Para armar cada tartaleta, acomode sobre una charola con papel encerado 3 rebanadas de manzana formando un círculo pequeño. Coloque encima 1 rebanada de queso, sazone con pimienta y cubra el conjunto con 1 disco de pasta. Forme así todas las tartaletas.
- Hornee alrededor de 20 minutos. Cuando estén cocidas las tartaletas, deles vuelta cuidadosamente con ayuda de una espátula, coloque 2 en cada plato y espolvoréelas con nuez.

Para variar

- Tartaletas de pera y gorgonzola: basta con reemplazar las manzanas por peras y el queso de cabra por gorgonzola.
- Para entrar al juego de lo agridulce, sustituya las nueces por pasas cortadas en trozos pequeños. También puede rociar las tartaletas con un poco de miel justo antes de servir.

Tártara de atún, aguacate y jitomate fresco

preparación: 20 min • costo • dificultad

Una receta muy rápida de elaborar y con un sabor inigualable...

Ingredientes para 4 personas

600 g de lomos de atún rojo sin espinas, cortado en cubos pequeños

⅓ taza de cebollín picado finamente

2 chalotes pelados y picados finamente

1 aguacate sin cáscara y cortado en cubos pequeños

2 tazas de jitomate sin semillas y picado

5 cucharadas de vinagre balsámico

4 cucharadas de aceite de oliva

sal y pimienta

Preparación

- En una ensaladera, mezcle todos los ingredientes, incluidos el vinagre y el aceite. Salpimiente generosamente. Distribuya en cuatro platos y sirva de inmediato.

Consejos

- Para una cena de enamorados, agregue a la preparación 2 cucharadas de jengibre fresco rallado.
- Para un toque mexicano, agregue chile verde picado.

CUPS
Us
fluid
oz
dl
3.5
28
8
24
7
20
6
16
5
4
12
3
8
4

Ensalada bicolor

preparación: 25 min • costo • dificultad

Una ensalada toda blanca y rosa... Le encantará jugar con los contrastes de colores.
¡Y le podemos asegurar que es tan rica como hermosa!

Ingredientes para 4 personas

Para la ensalada

400 g de col blanca cortada en tiras

1 manzana verde pelada y cortada en cubos pequeños

½ bulbo de hinojo o 1 rama de apio cortados en cubos pequeños

220 g de queso feta

1 taza de radicchio rojo (o col morada) lavado, escurrido y cortado en tiras

1 betabel cocido, pelado y cortado en cubos pequeños

Para la salsa

100 g de mayonesa

100 g de requesón

2 cucharadas de vinagre de vino

2 pizcas de azúcar

sal y pimienta

Preparación

- Para la salsa, en una ensaladera, mezcle la mayonesa con el requesón. Agregue el vinagre y el azúcar. Salpimiente.
- Agregue a la salsa la col, la manzana, el hinojo, el queso feta y el radicchio. Mezcle bien. Coloque en el centro el betabel para que no manche toda la ensalada.

Consejos

- Para que se logre mejor el efecto visual, sirva la salsa aparte.
- Para darle un toque dulce, agregue algunas pasas.
- Para un almuerzo entre amigas, acompañe esta ensalada 100% balanceada con un vaso de jugo de betabel.

Para variar

- Ensalada bicolor blanca y verde: sustituya el betabel y el radicchio por 3 puñados de ejotes cocidos al vapor y 2 corazones de lechuga.
- Versión ligera: utilice un queso feta *light* y aligere la salsa suprimiendo la mayonesa.

Ensalada de cuscús

preparación: 15 min • cocción: 5 min • costo • dificultad

Esta ensalada incluye una combinación exótica... ¡Con un resultado magnífico! El cuscús no es difícil de encontrar, búsquelo junto al arroz en el supermercado.

Ingredientes para 4 personas

Para la ensalada

200 ml de caldo de pollo

125 g de cuscús

1 cucharada de mantequilla

4 espárragos en salmuera, troceados

5 rebanadas delgadas de jamón serrano o de Parma, cortado en tiras

200 g de queso firme (gouda cheddar o edam) cortado en cubos

¼ de taza de cebollín picado finamente

Para la vinagreta

9 cucharadas de aceite de oliva

3 cucharadas de vinagre de vino blanco

1 cucharada de mostaza de Dijon

sal y pimienta

Preparación

- En una cacerola, hierva el caldo de pollo. Retire del fuego y agregue el cuscús y la mantequilla. Revuelva bien y deje que se hidrate la sémola alrededor de 5 minutos hasta que el líquido se haya absorbido por completo. Deje enfriar a temperatura ambiente.
- Para la vinagreta, en un tazón, mezcle el aceite de oliva con 1 pizca de sal. Agregue el vinagre y la mostaza. Sazone con abundante pimienta.
- Para servir, coloque el cuscús en una ensaladera, luego los espárragos, el jamón, el queso y el cebollín. Mezcle bien y sirva con la vinagreta aparte.

Consejos

- Esta receta es ideal como entrada para 4 personas. Si la sirve como plato fuerte, considérela más bien para 2 personas.
- Personalice su ensalada de cuscús ofreciendo otras guarniciones en tazones pequeños separados: garbanzos, jitomates y pasas.

Para variar

Ensalada de cuscús con aguacate y camarón: sustituya el queso holandés por 1 aguacate grande cortado en cubos pequeños y el jamón crudo por 1 lata de camarones.

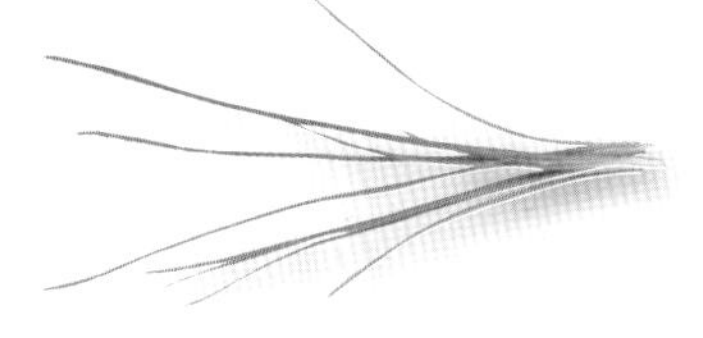

Cebiche blanco

preparación: 15 min • cocción: 30 seg • costo • dificultad

El truco de este cebiche instantáneo es tener una olla con agua hirviendo y agua muy helada para refrescar el pescado.

Ingredientes para 6 personas

500 g de pescado de carne blanca cortado en cubos pequeños

1 ½ taza de jitomate cortado en cubos pequeños

½ chile serrano o habanero sin semillas ni venas, picado finamente

¼ de taza de cebolla picada finamente

¼ de taza de cilantro picado finamente

1 cucharada de ajo picado finamente

⅓ de taza de aceite de oliva extra virgen

¼ de taza de jugo de limón

1 aguacate sin hueso y sin cáscara, partido en 6 rebanadas

6 ramas de cilantro

sal

Preparación

- En una olla ponga a hervir 2 litros de agua con sal; asegúrese de que hierva a borbotones. Sumerja el pescado 30 segundos, retírelo inmediatamente e introdúzcalo rápidamente en agua muy helada. Espere a que se enfríe y escurra.
- Por separado mezcle todos los demás ingredientes y añada el pescado; integre suavemente el cebiche para que no se deshaga el pescado.
- Para servir, ponga cada porción sobre una copa, adorne con el aguacate y las ramas de cilantro.

Consejos

- Tradicionalmente se utiliza pescado sierra, pero actualmente en los supermercados venden filetes de pescado de carne blanca como el blanco real o blanco del Nilo. Son también opciones perfectas para esta preparación; incluso, si lo pide para cebiche ahí mismo lo cortarán en cubos pequeños.
- Si lo desea puede simplemente marinar el pescado en suficiente jugo de limón hasta que adquiera un tono blanquecino. Este paso tomará unas 2 horas.

Crema de cilantro

preparación: 10 min • cocción: 10 min • costo • dificultad 

Hay recetas que a pesar de su sencillez resultan todo un deleite al paladar. No omita las almendras, pues el toque crujiente le dará personalidad a la crema.

Ingredientes para 6 personas

3 tazas de caldo de pollo, res o verdura

3 tazas de crema para batir o crema ácida

1 taza de cilantro picado

6 cucharadas de almendras tostadas

sal y pimienta

Preparación

- Mezcle el caldo con la crema y ponga a calentar a fuego medio; tan pronto dé el primer hervor retire del fuego, salpimiente y mantenga caliente.
- Licúe 1 taza de la mezcla de caldo y crema calientes con el cilantro hasta obtener una salsa tersa que no sea necesario colar; añada esto a la mezcla de crema y caldo restantes y caliente justo antes de servir.
- Sirva en tazones y adorne con las almendras.

Consejos

- Si desea, añada al final cilantro picado y unas líneas de crema fresca.
- No añada el cilantro desde el principio y asegúrese de que la crema no hierva mucho tiempo porque perderá el brillante color verde y mucha de la fragancia fresca del cilantro.
- Puede utilizar los concentrados de caldo de pollo, res o verdura que se venden en los supermercados.

Crema de alcachofa con foie gras

preparación: 13 min • cocción: 12 min • costo 🛎🛎 • dificultad 👨‍🍳👨‍🍳

Cada vez que prepare esta súper receta, enloquecerá...

Ingredientes para 4 personas

600 g de corazones de alcachofa enlatados

¼ de taza de cebollín picado

150 ml de leche

100 ml de crema para batir

3 pizcas de nuez moscada molida

300 ml de caldo de pollo (ver p. 124)

2 rebanadas de foie gras (se consigue en el área gourmet de las tiendas departamentales)

2 rebanadas de pan de caja tostado y cortado en tiras largas

sal y pimienta

Preparación

- Coloque en la licuadora los corazones de alcachofa, la mitad del cebollín, la leche, la crema líquida, la nuez moscada y el caldo de pollo. Licúe hasta obtener una salsa tersa. Salpimiente generosamente.
- Corte las rebanadas de foie gras en trozos pequeños y úntelos sobre los trozos de pan. Sazone con pimienta. Distribuya la crema entre cuatro tazones, espolvoree por encima el cebollín restante y sirva con el pan y el foie gras.

Consejos

- Para una versión más ligera, sustituya la crema por más caldo de pollo.
- Y para una versión más económica, sustituya el foie gras por paté de hígado de cerdo.

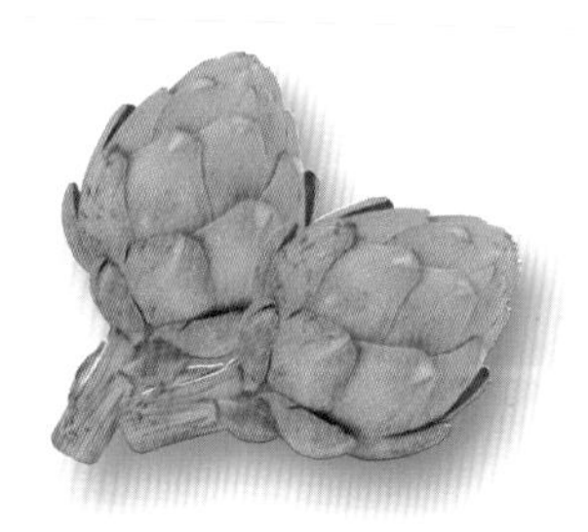

Pasta con pimientos, aceitunas y parmesano

preparación: 10 min • cocción: 17 min • costo • dificultad

De las pastas de última hora que alegrarán sus grandes reuniones entre amigos, ésta es una de las ganadoras para una noche de invierno...

Ingredientes para 4 personas

1 pimiento morrón rojo sin rabo, sin semillas y cortado en tiras

1 pimiento morrón amarillo sin rabo, sin semillas y cortado en tiras

2 cucharadas de aceite de oliva

400 g de pasta corta (pluma o macarrones)

½ taza de aceitunas negras deshuesadas y troceadas

12 rebanadas de pechuga de pato o pavo ahumado, cortadas en tiras

3 cucharadas de crema fresca

100 g de queso parmesano rallado

sal y pimienta

Preparación

- Caliente el aceite de oliva en un sartén grande. Agregue los pimientos y déjelos cocer alrededor de 12 minutos revolviendo regularmente.
- Mientras tanto, cocine la pasta en una cacerola grande con agua salada hirviendo aproximadamente 10 o 12 minutos siguiendo las instrucciones del paquete.
- Cuando los pimientos estén listos, agregue las aceitunas y el pato; cocine todo junto por 5 minutos. Salpimiente.
- Cuando la pasta esté cocida, escúrrala bien y colóquela en una ensaladera junto con la crema y la mitad del parmesano (50 gramos). Mezcle bien. Agregue la sartenada de pimientos en el centro de la pasta. Sirva acompañado con el resto del queso en un tazón.

Consejos

- Para ahorrar tiempo, puede usar pimiento morrón de lata y cortarlo en tiras.
- Varíe las pastas y pruebe esta receta con fusillis o moñitos.

Para variar

- Para lograr un toque agridulce, agregue un puñado de pasas al pimiento morrón en lugar de las aceitunas.
- Para darle un toque crujiente, agregue un puñado de piñones previamente tostados. ¡A pedir de boca!

Costillas de cordero al tomillo con ensalada de habas

preparación: 10 min • cocción: 10 min • costo • dificultad

Una receta que se prepara en un abrir y cerrar de ojos...

Ingredientes para 4 personas

Para las costillas de cordero

8 costillas de cordero

1 cucharada de tomillo fresco picado

1 cucharada de mantequilla

sal y pimienta

Para la ensalada de habas

100 ml de aceite de oliva

3 cucharadas de jugo de limón

3 pizcas de pimentón en polvo

¼ de taza de cebollín picado finamente

400 g de habas verdes cocidas y peladas

8 jitomates deshidratados cortados en trozos pequeños

1 taza de cebolla morada rebanada

sal y pimienta

Preparación

- Espolvoree cada costilla con un poco de tomillo. En un sartén antiadherente amplio, caliente la mantequilla a fuego alto. Agregue las costillas y dórelas 5 minutos por cada lado. Salpimiente al terminar la cocción.
- Para la ensalada, mezcle primero los ingredientes líquidos y luego los sólidos; salpimiente y sirva junto con las costillas.

Consejos

- Si le gustan las costillas término medio, disminuya el tiempo de cocción a 3 minutos por cada lado.
- Si las costillas son muy pequeñas, prepare 3 por persona.

Para variar

Con mantequilla de mostaza: mezcle 70 gramos de mantequilla con 1 cucharada de mostaza fuerte y salpimiente. Consérvela en el refrigerador y coloque 1 cucharadita sobre cada costilla asada al momento de servir.

El vino que combina

Un vaso de algún vino rosado.

Lomo de res a las cinco especias

preparación: 15 min • cocción: 11 min • costo • dificultad 

La mezcla de cinco especias puede conseguirla en las tiendas departamentales, o mezclando partes iguales de pimienta negra, anís estrella, jengibre, canela y semillas de hinojo, molidas en un mortero.

Ingredientes para 4 personas

4 cucharadas de salsa de soya

1 cucharada de mezcla de cinco especias

500 g de lomo de res cortado en trozos pequeños

200 g de fideos chinos (ramen) [opcional]

3 cucharadas de aceite de oliva

½ taza de cebolla picada finamente

200 g de germinado de soya

4 ramas de cilantro picadas finamente

sal y pimienta

Preparación

- Ponga a hervir agua en una cacerola grande. En un plato hondo, mezcle la salsa de soya con la mezcla de cinco especias. Agregue la carne y marine por unos minutos.
- Cuando hierva el agua, apague el fuego, sumerja los fideos y déjelos cocer 4 minutos con la cacerola tapada. Cuando estén cocidos, sepárelos con un tenedor y enjuáguelos con agua fría; escúrralos bien y distribúyalos entre cuatro tazones grandes o platos hondos.
- Caliente el aceite en un wok, agregue la cebolla y fría por 3 minutos.
- Agregue el germinado de soya, la carne y su marinada, salpimiente y cocine todo por 4 minutos sin dejar de revolver. Luego distribuya la carne sobre el fideo, espolvoree todo con cilantro y sirva enseguida.

Consejos

- Si no tiene wok, prepare esta receta en un sartén antiadherente, funciona muy bien. Así quedarán suaves en lugar de crujientes. Sirva este plato con tazones pequeños de salsa de soya. ¡Una delicia!
- Para darle un toque picante, agregue a la marinada unas gotas de salsa Tabasco. Por casi el mismo precio, agregue a cada tazón algunas gotas de aceite de ajonjolí.

Para variar

Lomo de res con verduras crujientes: junto con la carne, agregue al wok 2 puñados de chícharos chinos y 2 puñados de chícharos frescos o congelados previamente cocidos.

Mejillones a la crema

preparación: 15 min • cocción: 8 min • costo • dificultad

No olvide las papas a la francesa, porque aderezadas con la crema son... ¡simplemente el nirvana!

Ingredientes para 4 a 6 personas

2 kg de mejillones
2 chalotes pelados y picados
1 cucharadita de mantequilla
200 ml de vino blanco seco
3 cucharadas de crema ácida
2 cucharaditas de curry en polvo
¼ de taza de perejil picado
pimienta

Preparación

- Lave los mejillones, tallándolos bien, y retirando las barbas. Elimine los que estén abiertos o rotos, ya que están muertos.
- En una olla de fondo amplio cocine los chalotes con la mantequilla alrededor de 3 minutos. Agregue el vino y sazone con pimienta. Caliente a fuego alto durante 2 minutos. Incorpore los mejillones, tape la cacerola y deje cocer 5 minutos revolviendo de vez en cuando.
- Mezcle la crema ácida con el curry en un tazón. Agregue esta mezcla a los mejillones al terminar la cocción. Revuelva y deje cocer 1 minuto.
- Para servir, coloque los mejillones en platos hondos, rocíelos con el jugo de la cocción y espolvoréelos con perejil.

Consejos

Si consigue mejillones ya limpios, le ahorrarán tiempo y esfuerzo. Procure escogerlos chicos, pues los grandes resultan correosos. Cuando estén cocidos, hay que eliminar los que no se hayan abierto. Cuando prepare mejillones, no llene la olla más de la mitad, pues es difícil moverlos y la cocción termina siendo dispareja.

Para variar

Para probar otros sabores, puede sustituir el curry por azafrán. Si tiene afición por el jengibre, agregue 2 cucharaditas, pelado y rallado. En este caso, sustituya el perejil por cilantro.

El vino que combina

Ofrezca un blanco seco.

Pescado empapelado con limón y perejil

preparación: 8 min • cocción: 18 min • costo • dificultad

He aquí la clave para darse gusto sin engordar un solo gramo...

Ingredientes para 4 personas

6 cucharadas de aceite de oliva

6 pizcas de pimentón

el jugo de 1 limón

6 ramitas de perejil picado finamente

4 filetes de pescado blanco sin espinas de 150 g c/u aproximadamente

sal y pimienta

Preparación

- Precaliente el horno a 210 °C. Mezcle el aceite de oliva, el pimentón, el jugo de limón y la mitad del perejil picado. Salpimiente.
- Corte cuatro cuadros de papel aluminio. Unte cada uno con un poco de la mezcla de aceite y pimentón. Coloque 1 filete en el centro de cada uno, salpimiente. Rocíelos con el resto de la mezcla de aceite y espolvoréelos con perejil.
- Cierre herméticamente los paquetes doblando los bordes. Colóquelos con cuidado en una charola para hornear y hornee alrededor de 18 minutos.

Consejos

- Sirva este pescado empapelado con arroz o ejotes al vapor.
- Puede formar los empapelados con papel encerado. Cierre los extremos con hilo cáñamo como si fueran caramelos: ¡y además queda lista la presentación!

Pollo con curry al coco

preparación: 8 min • cocción: 22 min • costo • dificultad

Una pequeña receta que maravilla con sus notas asiáticas de leche de coco y curry...

Ingredientes para 4 personas

1 taza de cebolla pelada y picada finamente

1 chalote pelado y picado finamente

1 cucharada de aceite de oliva

600 g de pechugas de pollo cortadas en trozos pequeños

2 cucharaditas de curry en polvo

200 ml de leche de coco en lata

3 cucharadas de crema ácida (opcional)

1 lata pequeña de piña en almíbar (aproximadamente 225 g ya drenada), cortada en cubos pequeños

¼ de taza de cilantro picado finamente

sal y pimienta

Preparación

- Caliente el aceite en un sartén. Agregue la cebolla y el chalote y acitrone de 3 a 4 minutos.
- Agregue el pollo. Salpimiente y deje cocer 3 minutos. Agregue el curry y revuelva durante 30 segundos. Vierta la leche de coco y la crema y deje cocer otros 5 minutos.
- Incorpore los cubos de piña al sartén junto con 2 cucharadas de almíbar y deje sobre el fuego otros 10 minutos. Cuando el pollo esté cocido, sírvalo en platos hondos espolvoreado con cilantro.

Consejos

- Queda a su gusto encontrar la dosis justa de curry: entre 1 y 3 cucharaditas según su preferencia.
- Para los fanáticos de la cocina asiática, sustituya el curry en polvo por pasta de curry roja o verde. Se consigue en las tiendas de productos orientales.
- Para obtener una salsa de coco más espesa, duplique las cantidades de crema ácida (es decir, 6 cucharadas).
- Para lucirse con los comensales, sirva este pollo con curry con coco rallado, rebanadas de plátano macho frito o incluso pasas.
- Si elabora esta receta con piña fresca, queda realmente excepcional. Aclaremos que tardará un poco más de 30 minutos, pero no será tiempo perdido...

Sartenada de pollo y hongos silvestres

preparación: 10 min • cocción: 20 min • costo • dificultad

Un platillo perfecto para la temporada de lluvias, que es cuando los hongos crecen en su máximo esplendor. Fuera de temporada puede usar cualquier variedad de hongo cultivado.

Ingredientes para 4 personas

600 g de pechuga de pollo cortada en trozos pequeños

2 cucharaditas de mantequilla

2 chalotes pelados y picados finamente

600 g de hongos silvestres limpios y rebanados

1 diente de ajo pelado y picado finamente

2 cucharadas de vino blanco

100 ml de crema ácida

4 ramas de perejil picado finamente

sal y pimienta

Preparación

- Salpimiente el pollo. Caliente 1 cucharadita de mantequilla en un sartén antiadherente grande. Agregue el pollo y cocine alrededor de 10 minutos moviendo de vez en cuando. Cuando el pollo esté cocido, sáquelo del sartén y manténgalo caliente.
- En el mismo sartén, caliente la segunda cucharadita de mantequilla. Agregue los chalotes y fría alrededor de 2 minutos. Incorpore los hongos y el ajo. Cocine a fuego alto por 3 minutos hasta que el agua de los hongos se haya evaporado por completo. Agregue el vino blanco, cocine 1 minuto y vierta la crema; salpimiente y deje sobre el fuego por 3 minutos más sin dejar de revolver.
- Regrese el pollo al sartén y cocine 2 minutos más, mezclando bien. Pase la sartenada a un platón, distribuya encima el perejil y sirva enseguida.

Consejos

- Para ahorrar tiempo, utilice un paquete de hongos comerciales como portobello, champiñones, entre otros.
- Para lavar los hongos, páselos rápidamente por agua limpia. No los remoje, porque pierden sus propiedades.

Para variar

La temporada de lluvias ofrece una gran variedad de hongos. Pruebe con distintos tipos de éstos como yemitas, clavitos, trompetas, entre otros.

Budines choco-garapiñados

preparación: 10 min • cocción: 11 min • costo • dificultad 

Aunque tiene que usar el horno para esta receta, no tema. La cocción es muy rápida y el resultado vale la pena.

Ingredientes para 4 personas

2 huevos

50 g de azúcar granulada

25 g de harina

¼ de taza de nueces garapiñadas picadas

100 g de mantequilla + 1 cucharadita para engrasar

100 g de chocolate amargo

Preparación

- Precaliente el horno a 200 °C. Engrase cuatro moldes individuales con mantequilla. En un recipiente, bata con un tenedor los huevos y el azúcar hasta que se tornen opacos. Agregue la harina y las nueces garapiñadas; vuelva a mezclar.
- En una cacerola, funda a fuego bajo la mantequilla con el chocolate en trozos. Retire del fuego y vierta la mezcla de huevos en la cacerola. Mezcle bien y distribuya la preparación entre los refractarios.
- Hornee entre 10 y 11 minutos. Retire del horno y desmolde con cuidado.

Consejos

- ¿El punto ideal? Los bordes deben estar bien cocidos, pero el centro aún suave.
- Para que sea más fácil desmoldar los budines, enharine los refractarios después de engrasarlos.
- Puede servir estos súper budines con crema inglesa y algunos frutos rojos.

Budines de chabacano

preparación: 8 min • cocción: 22 min • costo • dificultad

Estos budines bien podrían acompañarse con una generosa porción de helado de vainilla...
¡Haga la prueba y no se arrepentirá!

Ingredientes para 4 personas

- 75 g de mantequilla derretida + 1 cucharadita para engrasar
- 75 g de polvo de almendras
- 5 cucharadas de azúcar morena
- 2 huevos
- 2 cucharadas de crema para batir
- 8 chabacanos maduros partidos por mitad y deshuesados
- azúcar glas

Preparación

- Precaliente el horno a 210 °C. Engrase 4 refractarios individuales con mantequilla.
- En un recipiente mezcle la mantequilla derretida con el polvo de almendras y el azúcar. Agregue los huevos enteros, la crema para batir y mezcle bien.
- Coloque 4 mitades de chabacano en cada refractario. Vierta la mezcla de huevos sobre la fruta y hornee entre 20 y 22 minutos. Sirva los budines tibios espolvoreados con azúcar glas.

Consejos

- Para ahorrar tiempo, utilice chabacanos o duraznos en almíbar.
- Los budines estarán listos cuando estén dorados. Si se oscurecen demasiado rápido, cúbralos con una hoja de papel aluminio y baje ligeramente la temperatura del horno.
- No desmolde estos budines, se comen directamente en los refractarios.

Para variar

Puede sustituir los chabacanos por cubos de pera, y el polvo de almendras por polvo de avellanas.

Copa helada mortal

preparación: 20 min • costo • dificultad

¿Mortal? No se preocupe. Únicamente morirá de alegría por el suculento sabor de este postre.

Ingredientes para 6 personas

Para las copas

merengue horneado y en trozos

6 bolas de nieve de frambuesa o fresa

6 bolas de helado de vainilla

250 g de fresas lavadas y sin rabos, cortadas en 2 o 4 según su tamaño

2 puñados de pistaches sin sal troceados

crema chantilly

Para la salsa de frutas

200 g de fresas

200 g de frambuesas

200 g de arándanos o zarzamoras

2 cucharadas de jugo de limón

70 g de azúcar glas

Preparación

- Para la salsa licúe toda la fruta con el jugo de limón y el azúcar glas. Coloque la salsa en el refrigerador.
- Para armar las copas, coloque en cada una y de manera sucesiva algunos trozos de merengue, 1 bola de nieve de frambuesa, 1 bola de helado de vainilla, algunas fresas, 1 buen chorro de salsa y los pistaches y la crema chantilly. Sirva las copas con el resto de la salsa en una jarra pequeña.

Consejos

- Compre los merengues horneados en las panaderías o pastelerías.
- Para elaborar la salsa fuera de temporada, utilice una mezcla de frutas rojas congeladas.
- Si le gusta la salsa más líquida, cuélela y agregue 2 cucharadas de agua.
- Puede conservar la salsa preparada en el refrigerador. También la puede congelar; dura aproximadamente 2 meses.
- Al contacto con la pectina de la fruta, el jugo de limón tiende a espesar la salsa. Una opción es agregar un poco de agua mineral bien fría.

Crumble con frambuesas

preparación: 15 min • cocción: 15 min • costo • dificultad

Un postre para acompañar con una bola de helado, o con una enorme cucharada de crema fresca...

Ingredientes para 6 personas

- 500 g de frambuesas o zarzamoras
- 4 peras maduras peladas, descorazonadas y cortadas en cubos
- 1 cucharada de azúcar
- 6 pizcas de canela en polvo
- 2 paquetes de galletas de mantequilla tipo danesas trituradas

Preparación

- Precaliente el horno a 200 °C. Distribuya las frutas en el fondo de un molde y espolvoréelas con el azúcar y la canela.
- En una ensaladera, mezcle las migas de galleta con 4 cucharadas de agua para obtener una pasta arenosa.
- Forme con la pasta de galleta una capa uniforme sobre la fruta. Hornee alrededor de 15 minutos hasta que la pasta esté bien dorada. Sirva tibio.

Consejo

Después de engrasar el molde, espolvoréelo con 3 cucharadas de azúcar. ¡Da un sabor de locura!

Cuarteto de bocados de chocolate

preparación: 15 min • cocción: 12 min • costo • dificultad

Así como una sinfonía o un conjunto musical, este cuarteto armoniza perfectamente con notas crujientes y suaves.

Ingredientes para 6 personas (12 bombones)

24 discos de pasta hojaldrada de 6 cm de diámetro

12 cuadros pequeños de chocolate oscuro

12 cuadros pequeños de chocolate blanco

12 almendras

6 nueces garapiñadas, troceadas

6 pizcas de coco rallado

Preparación

- Precaliente el horno a 210 °C.
- Para armar los bocados de chocolate oscuro, coloque cada cuadro de chocolate en el centro de cada disco. A 6 de ellos agregue 1 almendra y a los restantes, 1 buena pizca de nuez garapiñada.
- Repita la operación con los cuadros de chocolate blanco. En 6 de ellos coloque 1 almendra y en los otros, 1 pizca de coco rallado.
- Para cerrarlos, ponga encima un disco de pasta hojaldrada y cubra bien; presione las orillas con un tenedor.
- Coloque los bocados en una charola para hornear. Hornéelos alrededor de 12 minutos hasta que estén bien dorados y sirva enseguida.

Para variar

- Puede hacer estos bocados en forma de rollos. Quedan igual de deliciosos.
- Una opción para hacer estos bocados es con pasta filo. Para hacerlos, corte discos de pasta (3 discos abajo y 3 arriba) y barnice con mantequilla derretida entre capa y capa de pasta. Si la consigue, ¡será toda una delicia!

Espuma de chocolate de metate

preparación: 25 min • costo • dificultad

Además de rápido este postre puede dejarse hecho desde la mañana o un día antes. Es de sabor delicado, con ligeros toques amargos; pero dependiendo del gusto, se puede aumentar la cantidad de azúcar.

Ingredientes para 4 personas

1 pastilla de chocolate de metate (80 g aproximadamente), troceado

2 cucharadas de tequila o ron

¼ de taza de crema para batir + 1 ½ tazas

¼ de taza de azúcar refinada

½ cucharadita de esencia de vainilla

6 cucharadas de almendras o nueces tostadas

Preparación

- Coloque en una olla pequeña el chocolate, el tequila y ¼ de taza de crema para batir a fuego medio. Mueva constantemente hasta que el chocolate se derrita y la crema se integre bien. Retire del fuego y deje que se enfríe un poco hasta que esté tibio.
- Mientras el chocolate se entibia bata la 1 ½ tazas de crema hasta que espese un poco, añada el azúcar y la esencia de vainilla; continúe batiendo hasta obtener una consistencia firme.
- En el recipiente donde vaya a servir el postre, coloque la crema, vierta el chocolate derretido sobre la superficie y con una espátula o cuchara haga giros en la mezcla para que la superficie y el interior queden marmoleados. Adorne con las almendras, refrigere y sirva.

Consejos

- Para este postre, lo ideal es un chocolate de metate de Oaxaca, pero en los supermercados existen muchas marcas reconocidas que lo empaquetan como chocolate de mesa. Son las pastillas de chocolate para hacer la tradicional bebida caliente.
- Puede servir esta espuma también en copas individuales.

Guayabas con cajeta

preparación: 12 min • cocción: 5 min • costo  • dificultad

Con este postre, sus invitados creerán que invirtió mucho tiempo en la cocina para complacerlos...

Ingredientes para 6 personas

1 taza de cajeta envinada o quemada

¼ de taza de tequila blanco

6 bolas de helado de vainilla

12 mitades de guayabas en almíbar drenadas

6 cucharadas de almendras o nueces tostadas

Preparación

- Mezcle la cajeta con el tequila, caliente a fuego medio moviendo constantemente. Al primer hervor retire del fuego y mantenga caliente.
- Coloque en cada plato 1 bola de helado y 2 mitades de guayabas; bañe generosamente con la cajeta y adorne con almendras o nueces.

Consejo

Para ahorrar tiempo, puede encontrar en los supermercados las guayabas en almíbar partidas por mitad y sin semillas.

Magdalenas con arándanos

preparación: 10 min • cocción: 12 min • costo • dificultad

Pastelillos caseros ideales para la merienda de los niños, para un desayuno de enamorados o para tomar el té con las amigas.

Ingredientes para 6 personas (alrededor de 14 magdalenas)

60 g de harina

100 g de polvo de almendras

150 g de azúcar glas

1 pizca de sal

4 claras de huevo

80 g de arándanos (moras azules)

100 g de mantequilla derretida

1 cucharadita de mantequilla para untar los moldes

Preparación

- Precaliente el horno a 210 °C.
- En una ensaladera mezcle la harina, el polvo de almendras, el azúcar glas y la sal. Agregue una por una las claras sin batir. Mezcle bien. Agregue la mantequilla derretida. Mezcle nuevamente y agregue los arándanos.
- Vierta la masa en los moldes engrasados para magdalenas o en flaneras también engrasadas con mantequilla. Hornee alrededor de 12 minutos. Desmolde sobre una rejilla y sírvalas tibias o frías.

Consejos

- Si no tiene moldes para magdalenas, puede hornear la masa en un refractario.
- Para que sea mucho más fácil desmoldar, use moldes con teflón.
- Cuando no sea época de arándanos, prepare las magdalenas con trozos pequeños de frutas cristalizadas o incluso naturales.

Tartaletas de mango

preparación: 12 min • cocción: 16 min • costo • dificultad

¡Con un poco de caramelo líquido o cajeta queda de locura!

Ingredientes para 4 personas

400 g de pasta hojaldrada

4 cucharadas de azúcar morena

2 mangos maduros, pelados y cortados en rebanadas

4 pizcas de jengibre molido

4 cucharadas de azúcar granulada

4 cucharaditas de mantequilla

Preparación

- Precaliente el horno a 230 °C. Extienda la pasta y corte 4 discos, de unos 8 centímetros de diámetro. Coloque estas bases en una charola para hornear cubierta con papel encerado. Píquelas con un tenedor para que no se inflen. Doble ligeramente los bordes y espolvoree cada una con 1 cucharada de azúcar morena.
- Distribuya las rebanadas de mango como rosetón sobre las bases. Espolvoree con jengibre y azúcar. Corte la mantequilla en cubos pequeños y distribúyala sobre el mango. Hornéelas alrededor de 16 minutos, bajando la temperatura a 200 °C a media cocción. Sirva las tartaletas tibias.

Consejos

- Puede cortar los discos con un tazón o con el borde de un vaso.
- ¡Mucho mejor con jengibre fresco rallado!
- Atrévase: flambee estas tartaletas delante de sus invitados con un poco de ron blanco.

Y para cerrar... Pequeños extras de la cocina exprés

Cuatro aperitivos exprés...

Bocadillos de chabacano y queso

Ingredientes para 24 piezas

24 chabacanos secos

½ queso tipo camembert

pimienta

Preparación

- Abra los chabacanos por la mitad sin llegar al borde.
- Quite la costra al queso y córtelo en 24 laminillas. Sazónelas con pimienta.
- Coloque 1 rebanada de queso dentro de cada chabacano.

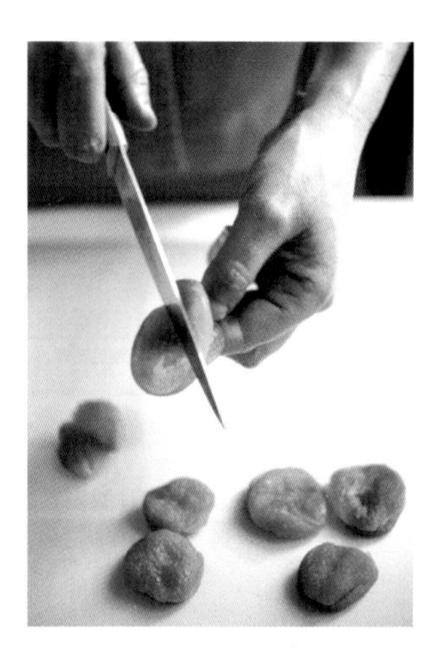

Mini blinis de salmón

Ingredientes para 18 piezas

18 mini blinis

2 frascos de hueva de salmón

18 cucharaditas rasas de queso fresco

Preparación

- Precaliente el horno a 180 °C. Acomode los blinis sobre una charola para hornear cubierta con papel aluminio. Hornee de 4 a 5 minutos.
- Cuando los blinis estén listos, coloque sobre cada uno 1 cucharadita de queso fresco y 1 cucharadita de hueva de salmón.

Higos con queso de cabra

Ingredientes para 24 piezas

24 higos secos (pueden sustituirse por frescos)

300 g de queso de cabra

2 cucharaditas de pimentón

pimienta

Preparación

- Abra los higos por la mitad, sin llegar al borde.
- En un tazón, mezcle el queso con el pimentón. Sazone con pimienta. Forme 24 bolitas.
- Rellene cada higo con 1 bolita de queso.

Blinis

Ingredientes para 24 piezas

15 g de levadura fresca

200 ml de agua

400 g de harina

Preparación

- Disuelva la levadura en el agua y añada la mitad de la harina mezclando bien para disolver todos los grumos. Deje reposar la mezcla durante 1 hora.

⇨

150 ml de leche caliente

100 g mantequilla fundida

3 huevos, separadas claras de yemas

1 cucharada de azúcar

1 cucharadita de sal

- Añada la leche, el resto de la harina, la sal y el azúcar; deje reposar de nuevo durante ½ hora o más.
- Agregue la mantequilla y las yemas de los huevos y deje reposar de nuevo para que leve la masa.
- Añada las claras de huevo batidas a punto de nieve mezclando con cuidado y con movimientos envolventes para conservar el aire de las claras.
- En un sartén caliente de unos 15 centímetros de diámetro unte mantequilla y extienda ¼ de taza de la mezcla de blinis, deje que cuaje, voltee y retire. Repita esta operación con toda la masa.
- Para hacer mini blinis, simplemente reduzca la porción de masa al cocinarlos.

Tres postres al minuto

Magdalenas glaseadas

Basta con quitar la tapa a las magdalenas previamente horneadas, ahuecar un poco el interior y colocar 1 bola pequeña de helado dentro de cada una. Para un postre de lujo, prepare 2 magdalenas por persona.

Idea 1 = 1 bola de helado de vainilla + 1 bola de nieve de frambuesa o fresa + algunas frambuesas o fresas frescas + 1 cucharada de crema chantilly.

Idea 2 = 1 bola de helado de nuez + 1 bola de helado de café + un poco de caramelo líquido + algunas nueces trituradas.

Idea 3 = 1 bola de helado de chocolate + 1 bola de nieve de mango + un poco de jarabe de chocolate + galletas trituradas.

Requesón personalizado

Según sus gustos y lo que tenga a la mano, agregue al requesón:

Idea 1 = un poco de miel + algunos piñones + mitades de nuez.

Idea 2 = coulis de frutas rojas + algunas almendras fileteadas + pistaches triturados.

Idea 3 = crema de avellanas + galletas trituradas.

Toronjas gratinadas al romero

Ingredientes para 6 personas

3 toronjas rosas

6 cucharaditas de azúcar granulada

4 pizcas de romero picado

6 cucharaditas de miel líquida

Preparación

- Precaliente la parrilla del horno. Corte las toronjas por la mitad. Coloque las 6 mitades en una charola para hornear.
- Espolvoree las toronjas con azúcar y romero. Hornee alrededor de 8 minutos. Sirva enseguida con la miel.

Salsas de último minuto

Salsa ligera

Ingredientes

2 yogures cremosos naturales
2 cucharadas de mayonesa
1 cucharada de mostaza
3 pizcas de curry en polvo
sal y pimienta

Preparación

- En un tazón, mezcle los yogures con la mayonesa, la mostaza y el curry. Salpimiente y ¡listo!
- Úsela para sazonar sándwiches, como aderezo para verduras crudas, para acompañar un pollo frío o en lugar de mayonesa para los mariscos.

Vinagreta con miel

Ingredientes

1 cucharada de miel
4 cucharadas de aceite
2 cucharadas de jugo de limón
1 cucharada de vinagre de manzana
1 cucharadita de mostaza
pimienta

Preparación

- Coloque todos los ingredientes en un tazón y mezcle hasta que la miel esté bien disuelta.
- Úsela para sazonar verduras al vapor, zanahorias ralladas, ensaladas agridulces e incluso ensaladas con queso de cabra.

Salsa al coñac

Ingredientes

2 cucharadas de coñac
250 ml de crema fresca
1 cucharada de pimienta verde
1 cucharada de estragón picado
sal y pimienta

Preparación

- Cuando cocine carne, disuelva los jugos de la cocción vertiendo el coñac en el sartén. Caliéntelo a fuego bajo, revolviendo con una cuchara de madera.
- Agregue la crema y la pimienta verde. Salpimiente y deje calentar la salsa durante algunos momentos. Agregue el estragón y sirva enseguida.
- Úsela para acompañar filetes o lomos de pato, o bien todo tipo de cortes de solomillo o bisteces de res.

Gazpacho

Ingredientes para 6 personas

1 kg de jitomate licuado y colado
1 pepino pelado y sin semillas cortado en trozos
1 pimiento rojo sin semillas ni venas cortado en trozos
1 cuarterón de cebolla morada cortada en trozos
1 diente de ajo pelado
1 bolillo grande despedazado
1/3 de taza de aceite de oliva extra virgen
1/4 de taza de vinagre de vino tinto
sal y pimienta

Preparación

- Remoje el bolillo en el aceite y el vinagre por 15 minutos; licúe todos los ingredientes incluyendo el bolillo y su remojo hasta que casi no sea necesario colar.
- Pruebe y ajuste de sal y pimienta. Sirva bien frío.
- Puede acompañar con cubos pequeños de melón o unas gotas de salsa pesto.

Salsa pesto de albahaca y perejil

Ingredientes para 6 personas

2 dientes de ajo

1/8 de cebolla

½ taza de piñones

¼ de taza de queso parmesano rallado

½ taza de perejil

½ taza de albahaca

2 tazas de aceite de oliva extra virgen

sal y pimienta

Preparación

- Coloque todos los ingredientes en el vaso de la licuadora o en el procesador de alimentos y licúe hasta obtener una salsa de consistencia ligeramente grumosa.

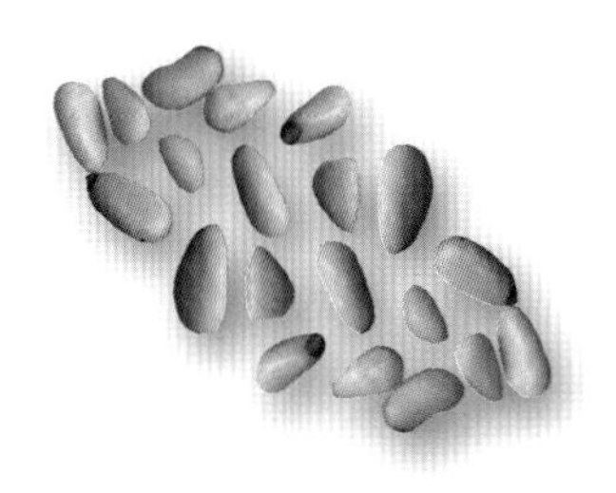

Algunas preparaciones y técnicas básicas...

Pasta choux

Ingredientes

1 ℓ de agua

300 g de mantequilla

10 g de sal

500 g de harina cernida

16 huevos

Preparación

- En una cacerola hierva el agua con la mantequilla y la sal. Retire del fuego y cierna la harina sobre el agua moviendo constantemente para que no se formen grumos. Regrese al fuego y cueza moviendo vigorosamente con una pala de madera hasta que la masa esté seca y se despegue de las paredes y del fondo de la cacerola. Retire del fuego nuevamente e incorpore los huevos uno a uno sin dejar de mover.
- Coloque la mezcla en una manga con duya y en una charola engrasada forme los choux. Hornee entre 15 y 20 minutos en horno precalentado a 180 °C. Los choux deben quedar huecos y dorados.

Caldo de pollo

Ingredientes para 3 litros

1 kg de rabadillas de pollo sin piel ni grasa (8 aproximadamente)

½ kg de huacales de pollo sin piel ni grasa (4 aproximadamente)

4 ℓ de agua

4 dientes de ajo pelados

1 cebolla grande partida en cuatro

sal

Preparación

- Ponga en una olla grande las piezas de pollo, agua, ajos, cebolla y sal. Ponga sobre el fuego y tan pronto hierva, baje la lumbre a fuego medio; retire la espuma, cocine aproximadamente 35 minutos. Retire del fuego y enfríe. Separe el pollo del caldo, reserve ambos por separado y deseche cebollas y ajos.

Pelar un cítrico

• Corte los extremos del cítrico.

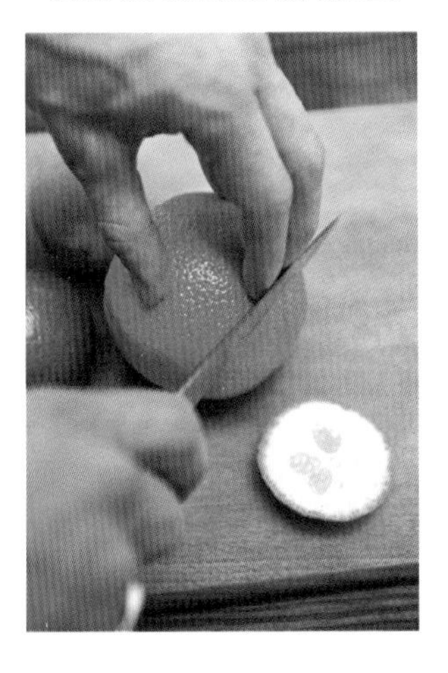

• Deslice la hoja del cuchillo a lo largo de los cuartos entre la piel y la pulpa. Repita la operación del otro lado del cuarto para despegarlo.

• Apoye el cítrico sobre su base cortada y con un cuchillo afilado o una sierra, quite la cáscara y la piel blanca por segmentos, de arriba hacia abajo.

• Si se trata de un cítrico pequeño, después de haber cortado el ombligo y la base, pele la cáscara y la piel blanca como si se tratara de una manzana.

• Proceda de la misma manera para los demás cuartos bajando cada vez las membranas, como si fueran las páginas de un libro.

Una vez que la piel se ha quitado, ya está pelado el cítrico.

Consejos básicos

- **Para ahorrar tiempo:** si va a recibir visitas, **ponga la mesa la noche anterior**. Y para ahorrar tiempo en la preparación de los aperitivos, coloque cada paquete de aperitivos o botanas en el plato correspondiente y tápelo con plástico autoadherible. Al día siguiente, sólo tendrá que abrir y vaciar los paquetes.

- **Duplique los ingredientes** al preparar sus recetas y **congele la otra mitad**. Puede dejar preparadas las porciones para calentar de último minuto.

- Para las ensaladas, utilice las mezclas de **verduras previamente lavadas y desinfectadas** (lechugas, col picada, zanahoria rallada, espinacas, etc.) que se venden ahora en los supermercados. Hay excelentes opciones como las verduras orgánicas.

- **Prepare sus vinagretas de antemano** y en grandes cantidades. Puede conservarlas en una botella o frasco en el refrigerador. Justo antes de servir, bastará con agitar fuertemente la vinagreta.

- En lugar de un trozo de queso parmesano, compre la cantidad indicada en la receta de **parmesano rallado**. Es ideal para los carpaccios y otras pastas de último minuto. Se encuentra en la sección de quesos de los supermercados.

- **Derrita el chocolate en el microondas.** Basta con colocar el chocolate en trozos en un recipiente adecuado para microondas y programar 1 o 2 minutos según la cantidad. Al sacarlo, mézclelo bien con una espátula. Incluso le puede agregar 1 cucharadita de aceite de cacahuate para dejarlo terso y brillante.

- **Adquiera la costumbre de congelar,** para tener en su congelador algunos productos básicos listos para usar: ajo y cebolla, pimientos, berenjenas, chícharos, zanahorias, espinacas, frutas rojas... Así, ya no hará falta pelar ni picar.

- **Para sus postres de último minuto,** tenga siempre a la mano un paquete de galletas para que sirvan como un acompañante perfecto.

- **Apuéstele a los ingredientes precocidos:** arroz, frijoles, sémola o trigo, e incluso pastas frescas cuya cocción no pasa de 2 minutos.

- **Para todas sus recetas a base de jitomates pelados,** puede usar jitomates pelados en conserva.

- **Apuéstele a los ingredientes ahorradores de tiempo:** frutas en almíbar (duraznos, peras, piña y mangos), gruyere rallado, cubos de queso feta en aceite de oliva, pastas comerciales para tarta (quebrada, hojaldrada e incluso bases para pizza), pimientos morrones enlatados, corazones de alcachofa en conserva, salsa pesto comercial, salsa de jitomate...

- **Los tiempos de cocción** que se dan en las recetas pueden variar ligeramente en función de la fuente de calor. Por ejemplo, en los hornos de microondas giratorios los alimentos se cocinan más rápido y de manera más homogénea que en los hornos con una sola fuente de calor. Recuerde también que para una buena cocción, siempre es necesario precalentar el horno de gas o eléctrico.

- **Y para nunca estar desprevenido,** tenga siempre un buen pan en el congelador (que puede descongelar en el horno o en el tostador) y dos buenas botellas de vino (blanco y tinto) a la mano.

Para tener a la mano

Cómo ingeniárselas sin báscula

Esta tabla presenta las principales equivalencias de peso y volumen de los ingredientes más comunes.

Ingredientes	1 cucharadita	1 cucharada	¾ de taza
Almendras molidas	6 g	15 g	75 g
Arroz	7 g	20 g	150 g
Azúcar glas	3 g	10 g	110 g
Azúcar granulada	5 g	15 g	150 g
Chocolate en polvo	5 g	10 g	90 g
Crema espesa	15 g	40 g	200 g
Crema líquida	7 g	20 g	200 g
Fécula de maíz	3 g	10 g	100 g
Harina	3 g	10 g	100 g
Líquidos varios (agua, aceite, vinagre, licores)	5 ml	15 ml	200 ml
Mantequilla	7 g	20 g	—
Pasas	8 g	30 g	110 g
Gruyere rallado	4 g	12 g	65 g
Sal	5 g	15 g	—
Sémola, cuscús	5 g	15 g	150 g

La medición de líquidos

1 vaso tequilero = 30 ml

1 taza de café = 80-100 ml

1 vaso lechero = ¾ de taza = 200 ml

1 taza = 250 ml

1 tazón = 350 ml

Otras equivalencias

1 huevo = 50-60 g

Para cocinar rápido y sin complicaciones, siempre conviene tener a la mano algunos productos muy sencillos y fáciles de encontrar. He aquí una pequeña lista de ingredientes básicos con los cuales podrá elaborar gran parte de las recetas de esta colección.

En la alacena

Especias

- Canela
- Cilantro (semilla)
- Comino
- Curry en polvo
- Hierbas finas
- Jengibre
- Mezcla de hierbas
- Nuez moscada
- Pimentón
- Pimienta molida y troceada
- Tomillo
- Vainas de vainilla

Líquidos

- Aceites de girasol, oliva, ajonjolí y nuez
- Ron (para la pastelería)
- Vinagres de vino, blanco, balsámico y de jerez
- Vino tinto y blanco seco

Condimentos

- Mostaza fuerte y a la antigua o tradicional
- Mostazas condimentadas (al estragón, a la pimienta verde)
- Sal fina y gruesa
- Salsa de soya
- Salsa pesto
- Salsa Tabasco

Y también...

- Aceitunas en lata

- Alcaparras
- Almendras fileteadas
- Almendras y nueces molidas
- Anchoas, atún y sardinas en aceite de oliva y en agua
- Arroces de distintos tipos
- Azúcar granulada, glas y vainillada
- Chiles en vinagre
- Chiles chipotles en lata
- Chocolate en barra y en polvo
- Cubos de concentrado de caldo de pollo
- Fécula de maíz
- Frutas secas (almendras, pasas, piñones, avellanas, chabacanos, higos)
- Harina de trigo
- Jitomates en lata, en puré y deshidratados
- Levadura
- Mermeladas y compotas
- Miel
- Pastas de todo tipo
- Pepinillos
- Polvo para hornear
- Sémola (polenta)
- Salsas diversas en tetra-pack (verde, roja, etc.)
- Verduras enlatadas y en tetra-pack (elote, chícharo, zanahoria, etc.)

En el refrigerador

Verduras

- Ajo
- Calabacitas
- Cebollas
- Chalotes
- Elotes
- Limones
- Nopales
- Papas
- Jitomates
- Zanahorias

Huevos y lácteos

- Crema líquida o para batir
- Crema ácida
- Huevos
- Leche
- Mantequilla
- Queso fresco
- Queso parmesano

Y también...

- Discos de pasta hojaldrada o filo
- Pastas para tarta (quebrada, hojaldrada, pastaflora)

En el congelador

Hierbas y especias picadas (hechas por usted mismo)

- Albahaca
- Cebollín
- Cilantro
- Eneldo
- Jengibre picado
- Perejil

Verduras y frutas

- Champiñones
- Chícharos
- Espinacas
- Fresas
- Kiwis
- Pulpas de frutas

Y también...

- Cubos de concentrado de caldo de pollo congelados
- Pastas para tarta (quebrada, hojaldrada, pastaflora)
- Salsas o coulis de frutas
- Helados y nieves

Tener los utensilios adecuados

¡No se necesita gran cosa para elaborar grandes recetas! He aquí una pequeña lista de utensilios para tener en la cocina.

Para cocinar

- Cacerolas (una grande y una pequeña)
- Olla de fondo grueso
- Moldes para tartas y para pastelería
- Plancha para asar
- Sartenes antiadherentes (uno grande y uno pequeño)

Para cortar

- Afilador de cuchillos
- Cuchillo de hoja ancha
- Cuchillo pequeño
- Pelapapas
- Tabla para picar de plástico (pequeña)

Para mezclar

- Batidor de globo
- Cucharas de madera
- Ensaladeras
- Espátulas

Y también...

- Batidora eléctrica
- Coladores (uno fino, otro más grueso)
- Escurridor de ensalada
- Hilo de cáñamo
- Licuadora
- Rodillo
- Tazas y cucharas medidoras

Glosario

Barnizar

Blanquear

Batir

A punto de listón: se dice así a la consistencia que toman las yemas de huevo al ser batidas enérgicamente con azúcar en polvo o con algún otro elemento similar, en caliente o en frío; se sabe que ya están listas cuando la mezcla es lo suficientemente firme y homogénea para que, cuando se deje caer de lo alto de un espátula o de un batidor, se extienda sin romperse.

Acanalar: hacer pequeños surcos en forma de "V", paralelos y poco profundos, sobre la superficie de una fruta, una masa, un puré o un mousse. Las bases de tartas o pays se conocen como "acanaladas" cuando se cortan con un cortador para masa especial que tiene estos surcos. Una duya "acanalada" es una duya dentada.

Amasar: mezclar harina con uno o varios ingredientes, con las manos o con la ayuda de una batidora, para incorporarlos bien y obtener una masa sin grumos y homogénea. También se refiere a la acción de "trabajar" la masa para que ésta obtenga una consistencia elástica (si la preparación lo requiere).

Bañar: agregar un líquido por encima a una preparación para hornearla, para hacer una salsa o para terminar una preparación. El líquido, llamado "baño", puede ser agua, caldo, vino, jugo o algún otro. También puede referirse a salsear alguna preparación como un postre o una carne para servirla.

Barnizar: recubrir algún tipo de masa, carne o alimento con un líquido como huevo, yema de huevo, aceite, mantequilla u otro, con la ayuda de un pincel o una brocha. El objetivo de barnizar puede ser para dorar la superficie de la preparación en el horno, para cubrirla con una capa protectora y que no se queme tan fácilmente, o para darle brillo cuando se va a servir.

Batir: trabajar enérgicamente un elemento o una preparación con el fin de modificar su consistencia, su aspecto o su color. Las yemas y las claras de huevo se pueden "batir" para que esponjen y su consistencia sea más firme y aireada; una vinagreta, una salsa o una mezcla se "bate" para homogeneizarla.

Blanquear: se puede definir como una precocción del alimento. Consiste en sumergir los alimentos crudos por pocos minutos en agua hirviendo, generalmente con sal, para después ser enfriados en agua con hielos y escurrirlos, antes de ser cocidos. Este proceso permite ablandar, depurar, eliminar el exceso de sal, quitar la acidez, pelar fácilmente o reducir el volumen de los ingredientes.

Bouquet garni: hierbas aromáticas secas, que pueden estar atadas con un cordel, dentro de un trozo de tela o atadas dentro de una hoja de poro, y que dan sabor a los caldos y preparaciones. Generalmente, el bouquet garni se compone de 2 o 3 ramas de perejil, 1 ramita de tomillo, 1 o 2 hojas de laurel secas y a veces granos de pimienta entera; el bouquet garni puede variar de acuerdo con la preparación a realizar.

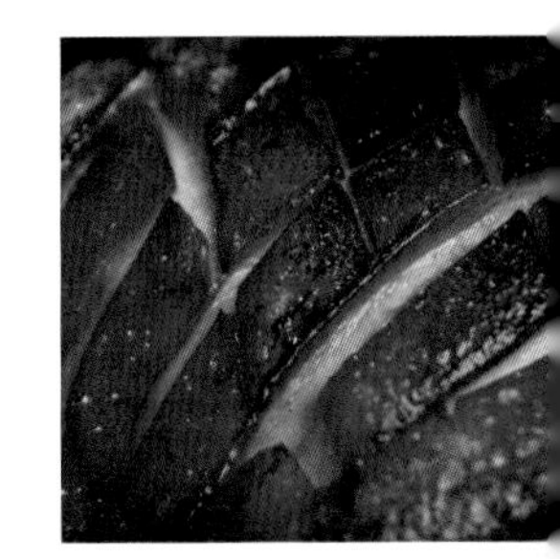

Caramelizar

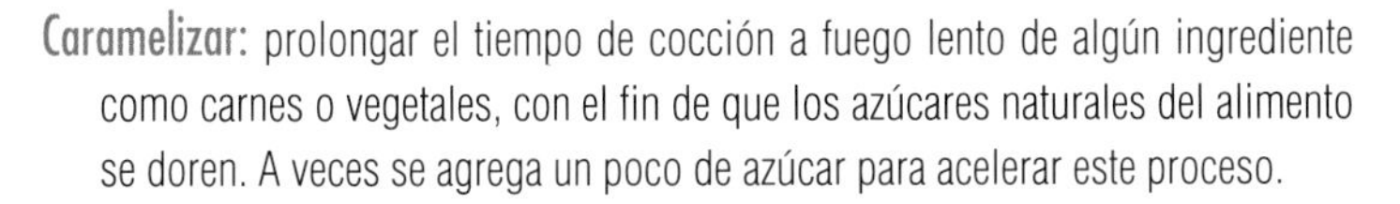

Caramelizar: prolongar el tiempo de cocción a fuego lento de algún ingrediente como carnes o vegetales, con el fin de que los azúcares naturales del alimento se doren. A veces se agrega un poco de azúcar para acelerar este proceso.

Coulis: generalmente un puré de frutas o vegetales colado, con una textura líquida y aterciopelada.

Desglasar: disolver, con la ayuda de algún líquido, como caldo, vino, jugo, crema, vinagre o agua, los restos acumulados en un recipiente que previamente se utilizó para dorar, saltear u hornear algún plato, con el fin de obtener un jugo o una salsa.

Emulsionar: homogeneizar una preparación batiendo dos elementos que generalmente no son solubles entre sí. El emulsionante más utilizado en cocina es la yema de huevo.

Engrasar: untar con alguna materia grasa una plancha de repostería o el interior de un molde, para evitar que las preparaciones se peguen durante la cocción y facilitar su desmolde.

Escalfar

Escalfar: cocer un alimento sumergido por completo en un líquido muy caliente pero que no hierve. Esta temperatura se mantiene constante y el líquido nunca forma borbotones.

Esponjar: aumento de volumen por el efecto de la fermentación en una masa con levadura. También cuando una preparación es batida por un tiempo prolongado (yemas y claras de huevo, crema para batir, etcétera).

Espumar: quitar la espuma e impurezas que se forman en la superficie de un líquido o de una preparación en el momento de su cocción (caldos, salsas, etc.) con la ayuda de una espumadera, de un pequeño cucharón o de una cuchara.

Esponjar

Glasear

Montar

Macerar

Filetear: cortar en diagonal o en rebanadas finas, una pieza de carne, un gran filete de pescado, la carne de langosta o ciertas verduras.

Flambear: acción de incendiar alcohol proveniente de algún licor, destilado o vino con el fin de suavizar el sabor del mismo. Generalmente el líquido se calienta previamente y después se acerca a una flama para que incendie y se evapore.

Glasear: formar una capa homogénea y brillante sobre la superficie de algún plato. Bañar con frecuencia una pieza horneada con jugo o consomé, durante o hacia el final de su cocción, para que se le forme una delgada costra dorada por encima. Cocer verduras (nabos pequeños, por ejemplo) con agua, sal, mantequilla y azúcar hasta que el líquido de cocción se transforme en almíbar y las recubra con una capa brillante y caramelizada. Recubrir los postres fríos o calientes, con una cubierta de fruta o de chocolate (llamada "espejo") para volverlos brillantes y atractivos. Recubrir la superficie de un pastel con una capa de azúcar glas, almíbar, etc. Espolvorear con azúcar glas, hacia el final de su cocción, un pastel, un soufflé, etc., para que la superficie se caramelice y se vuelva brillante.

Infusión: resultado de verter un líquido hirviendo sobre alguna sustancia aromática, dejando reposar para que se impregne de sus aromas. Por ejemplo, se puede hacer una infusión de vainilla en la leche.

Macerar: poner a remojar elementos crudos, secos o confitados, generalmente frutas, en un líquido (alcohol, almíbar, vino, etc.) para que éste los impregne con su perfume.

Marinar: poner a remojar algún ingrediente en un líquido aromático durante un tiempo determinado para suavizarlo y perfumarlo.

Montar: batir, con un batidor eléctrico o manual, claras de huevo, crema fresca o un preparado azucarado, para que su cuerpo acumule cierta cantidad de aire, lo que hace aumentar su volumen, dándole una consistencia más firme.

Rebajar: agregar un líquido a alguna preparación demasiado concentrada o espesa.

Recubrir: tapizar la pared o el fondo de un molde, ya sea con una capa gruesa de una preparación que permita que los platos no se peguen al recipiente y que se desmolden fácilmente, o bien con diversos ingredientes que formen parte integral del plato. Con frecuencia, los moldes se recubren con papel aluminio untado con mantequilla.

Reducir: disminuir el volumen de un líquido (caldo, salsa), dejándolo hervir, por medio de la evaporación. Esto aumenta su sabor debido a la concentración de jugos y le da mayor untuosidad o consistencia.

Refrescar: dejar correr el agua fría sobre un plato recién blanqueado o cocido en agua, para enfriarlo rápidamente. También quiere decir poner en el refrigerador un entremés, una ensalada de frutas o una crema para servirlos fríos.

Sofreír

Salpicón: preparación compuesta de elementos cortados en cuadros pequeños, que se mezclan con una salsa. Puede ser un salpicón con carne y vegetales o incluso de frutas.

Saltear: método de cocción a fuego alto en un sartén con una pequeña cantidad de grasa. Los ingredientes que se salteen siempre deben ser pequeños, para que su cocción sea rápida y uniforme.

Sofreír: dar un ligero color a algún alimento, dorándolo cuidadosamente en un cuerpo graso. La operación se realiza sobre todo con las cebollas, pero también se hace con vegetales diversos.

Saltear

Índice de recetas

Esta obra se terminó de imprimir en septiembre del 2007
en los talleres de Editorial Impresora Apolo, S.A. de C.V.
Centeno 162, Col. Granjas Esmeralda.
C.P. 09810, México, D.F.